Le
Livre
de
Poche
Jeunesse

PROMÉTHÉE

LE DERNIER TITAN

Jacques Cassabois

« J'aime les personnages qui résistent, capables de secouer l'ordre
des choses, de lever les énergies de chacun, d'entraîner derrière eux,
riches d'ampleur, porte-parole des plus hautes qualités de l'homme.
C'est ainsi que j'ai fréquenté Sindbad le marin, Gilgamesh le Sumérien,
Tristan et Iseut, la lumineuse Antigone, chevauché aux côtés
de Jeanne d'Arc, accompagné les troupes d'enfants de 1212,
en route pour délivrer Jérusalem, partagé la colère des Hérissons
qui défendent leur avenir face aux menaces des puissants, et admiré
Héraclès l'Obéissant repousser ses limites pour ouvrir une voie
directe qui relie la Terre au Ciel. »
www.jacquescassabois.com

Du même auteur :

- La création du monde
- Le premier roi du monde -
  L'épopée de Gilgamesh
- L'épopée d'Héraclès -
  Le héros sans limites
- Le chevalier Tristan
- Tristan et Iseut
- Antigone l'insoumise
- Jeanne
- 1212 La Croisade des Indignés
- La colère des Hérissons
- L'oiseau de feu - Sept contes de Russie
- Casse-Noisette et le Roi des Rats
- Sept contes de trolls
- Les mille et une nuits - ou le conte
  de Shéhérazade et de Shahryar
- Sindbad le marin
- Le joueur de flûte de Hamelin
- Dix contes de fantômes
- Dix contes de dragons
- Douze contes de princesses
- Dix contes de magie
- Khodumodumo - et autres contes
  de monstres

JACQUES CASSABOIS

PROMÉTHÉE

LE DERNIER TITAN

Couverture : Hélène Builly.

PROLOGUE

Il avait fait la paix avec lui-même

Trente mille ans de solitude ! Trente mille ans de tortures ! Prométhée, libre enfin, regardait le soleil s'élever au-dessus des monts du Caucase et éclairer ce nouveau matin du monde. À ses pieds, l'Aigle de Zeus, son tortionnaire, qui lui avait déchiqueté le foie pendant plus de dix millions de jours. Transpercé par la flèche infaillible d'Héraclès, son corps fracassé gisait, pendant que son vainqueur s'éloignait vers la vallée, vers le Jardin des Hespérides au loin, poursuivant sa quête grandiose[1]. Sur le versant, des pierres

_____

1. Voir *L'Épopée d'Héraclès, le héros sans limites*, de Jacques Cassabois, Le Livre de Poche Jeunesse, 2015.

roulaient sous la puissante enjambée du héros, entraînant des avalanches dont le fracas annonçait à toute la montagne la fin du supplice, la fin de la grande colère du Titan.

— Il a fait la paix avec Zeus ! Il a fait la paix avec lui-même ! clamaient les schistes et les granites s'entrechoquant.

Généreux Héraclès ! Lors de sa visite au proscrit, prévue depuis l'aube des temps, il avait procédé à la levée d'écrou. Prométhée, en effet, usé par les nuits de réflexion, par les heures de martyre, était parvenu à vaincre ses démons. Ce travail accompli, l'élimination du bourreau n'avait été que pure formalité. Le Titan, affranchi de son orgueil, avait accouché d'un être neuf. Son rude chemin de réhabilitation était achevé.

Mais le cœur, même pacifié, conserve la mémoire de ses rébellions passées. Prométhée n'avait rien perdu de sa pertinence, de son esprit acéré, de son besoin d'action. Zeus le savait et, sans mettre en cause la sincérité de la soumission de son cousin[1], pour que leur pacte soit clair, il l'avertit :

---

1. Prométhée est le fils du Titan Japet, frère de Cronos qui est le père de Zeus.

— Tu ne peux plus agir seul, au gré de tes caprices ! T'isoler dans la fulgurance de tes idées géniales, qui risquent de mettre en péril l'équilibre du monde !

— J'en suis conscient, acquiesça Prométhée, et c'est tout l'enjeu de ma nouvelle vie. Je vais continuer d'aider les hommes, mais dans la lenteur de leurs capacités. Dans la mesure, et en tenant compte de chacun…

Zeus apprécia l'ampleur de la métamorphose. Prométhée, toujours dans l'excès, dans le feu de l'outrance, avait décidément changé du tout au tout.

— Alors, tu n'auras aucune peine à accepter ces deux contraintes, poursuivit le maître de l'Olympe : cet anneau de fer à ton doigt et cette couronne de saule sur ta tête.

Deux cercles, sans commencement ni fin, comme le temps qui se renouvelle sans cesse. Deux symboles d'alliance. Prométhée en comprenait la valeur.

Le chaton de la bague était serti du plus précieux des joyaux, un fragment de son rocher de supplicié. Sa souffrance acceptée n'était maintenant pas plus lourde qu'un simple caillou dont la voix rugueuse lui rappelait que chaque projet, avant de s'élancer vers l'azur, devait s'ancrer dans la réalité.

Quant à la couronne de saule aux feuilles bicolores, face dorée, face argentée, elle installait la lumière du Soleil et l'ombre de la Lune au sein de ses pensées, afin que son esprit soit également nourri de vigueur masculine et de subtilité féminine.

— Tu vois, tu es toujours attaché, lui murmuraient ses nouveaux liens, mais au ciel et à la terre. Aujourd'hui, ils s'unissent en toi, Prométhée. C'est la source de toute vie.

Tel était le contenu de son pacte avec Zeus, le fruit de millénaires de réclusion. Et il eut une pensée émue pour ses grands-parents : Ouranos, *Ciel étoilé*, insatiable créateur, et Gaïa, *Terre* au ventre fécond. Esprits mâle et femelle, soudés l'un à l'autre, ils avaient lancé le grand chambardement de l'univers. Il lui incombait de poursuivre leur œuvre, mais d'une manière réfléchie et apaisée.

Il songeait, s'attardant sur l'aire où il avait été enchaîné parmi les débris de rochers fracassés par ses hurlements, les restes de déchets arrachés à son ventre, jour après jour, les plumes déchiquetées, le duvet, le sang et le cadavre anéanti de l'Aigle gigantesque… Il ne se décidait pas à quitter sa prison. Elle ressemblait à un nid abandonné, encore encombré par les restes d'un festin d'horreur dont il avait été à la fois pâture et convive, et d'où il ressortait nourri d'une autre connaissance de lui-même.

Prométhée venait de conquérir sa place dans l'Olympe. Zeus la lui avait accordée. Mais il n'était pas pressé de monter s'y installer. Il songeait aux hommes, à ce qu'ils avaient fait du monde en son absence. Il leur avait ouvert mille et mille voies, offert le feu, l'ardeur créatrice, la liberté, l'ivresse des défis, la fougue des chercheurs de lumière. Le résultat était affligeant : le pire côtoyait le meilleur et menaçait de l'engloutir. L'humanité avait cédé aux sentiments les plus bas : l'envie, la jalousie, l'instinct de domination, l'avidité pour les plaisirs matériels… Cette race, à qui le Titan avait offert son génie, s'était laissé corrompre par la barbarie. Ses clameurs sauvages étaient parvenues jusqu'à son rocher et ruisselaient sur ses plaies comme un acide.

Prométhée se sentit gagné par la tristesse et les regrets amers.

Ses créatures étaient les plus achevées de toutes. Il avait cru leur donner le meilleur de lui-même, voulu les entraîner dans son sillage et, sans les attendre, il avait pris les devants, pensant qu'elles le suivraient.

Illusion ! Son enthousiasme n'avait pas suffi. Ses fils avaient bifurqué, choisi la facilité, s'aventurant dans les pires itinéraires. Il aurait dû accompagner leurs inventions, leurs découvertes, guider, expliquer, avertir, poser des garde-fous... Mais il n'était pas pédagogue, il était génie, et il avait négligé les conséquences de ses trop absolus cadeaux. Père des hommes, il était aussi le père du désastre qui les accablait. Quel échec !

— Je me suis aveuglé. Je les ai voulus libres. Je n'ai fait que les rendre esclaves de leurs désirs !

Il mesurait sa responsabilité, le défi qui maintenant l'attendait : ramener les hommes à la raison !

À la fin de son épreuve, Zeus ne lui avait pas imposé de changer de nom comme il l'avait fait pour son fils, Alcée, devenu Héraclès. Il était donc toujours Prométhée, *le Prévoyant*, celui qui discerne l'avenir et se lance en avant pour le façonner. Était-ce une manière de lui dire : « Continue à te soucier de demain, mais emporte avec toi hier et aujourd'hui. Retourne-toi de temps à autre, assure-toi d'être suivi, même si cela ralentit ta course, et fais plier cette race d'inflexibles ! Si par sa folie de destruction, son égoïsme met le monde en péril, ma main ne tremblera pas, tu le sais. Je n'hésiterai pas à renvoyer ces éphémères[1] à l'humus d'où tu les as tirés ! J'aurai toujours le dernier mot ! » ?

Cela donna une idée à Prométhée : rappeler aux hommes l'histoire du monde depuis la grande nuit du cosmos, afin qu'ils retrouvent le sens de leur dimension, comprennent leur place, accomplissent leur tâche au sein de la Création. Parier sur leur intelligence était la seule manière d'éviter un désastre à l'humanité. Ils étaient la perle de l'évolution, et Prométhée, incorrigible optimiste, toujours fasciné par ses enfants, décida de relever ce défi.

La montagne où il avait enduré tant d'atrocités pour eux lui paraissait le lieu le plus propice pour raconter.

Alors, il commença à parler, et sa grande voix majestueuse se déploya sur la terre...

1. Surnom donné aux hommes.

PARTIE 1

FONDATION

1

Le grand branle-bas du réveil

— Au commencement étaient la nudité et le vertige, dit-il. La grande solitude, le néant glacé et l'immobilité. Au commencement était un gouffre, vide et plein à la fois, de rien et de tout, car rien n'y était encore éveillé, alors que tout était déjà présent, pressenti, invisible dans la nuit opaque. Un chaos de projets enchevêtrés, où chaque élément attendait sans en avoir conscience l'heure d'être démêlé pour paraître.

Tel était Abîme, ogre impassible, œuf monstrueux du monde.

Soudain, sans raison, sans que nulle volonté ne l'ait décidé, quelque chose tressaille dans l'obscurité, comme un souffle tout en puissance, une tension. Une ride plisse le gouffre, un sillon se creuse, et une masse surgit, jetant une clarté sur le vide. Une forme apparaît, déblayée du désordre, épaisse et plate comme une table, un bloc de matière : Gaïa, la *Terre* au ventre plein. Des êtres majestueux que l'impatience de vivre commence à réchauffer dorment en elle.

Abîme, en libérant Gaïa, a sonné le grand branle-bas du réveil, et, déjà, une autre lueur déchire l'obscurité, un nouvel être surgit, immatériel, aux côtés de Gaïa. C'est une déflagration qui se propage, éclabousse l'espace encore inoccupé et le galvanise de son intensité : Éros, *Amour*, la pulsation profonde. L'élan, l'enthousiasme irrésistible niché au plus intime de toute vie, de toute idée, c'est lui : Éros, le ferment.

Abîme, Gaïa, Éros, les trois sources de l'univers.

Terre a lancé son premier cri et poursuit sa métamorphose. Elle enfle, comme la pâte malmenée par le levain. Elle se boursoufle, aspirée vers le Haut, tirée vers le Bas. Elle s'étire, craque et se fend. Vers le Haut, elle cède à l'appel impérieux de la lumière qui n'est pas encore née, et des montagnes se dressent comme des clameurs. Vers le Bas, c'est une aspiration implacable qui l'attire vers le néant. Un réseau de failles se creuse, descend jusqu'aux frontières d'Abîme, faisant communiquer Gaïa par ses tréfonds avec la menace du chaos.

C'est alors que de son ventre béant jaillit une éruption d'étincelles. C'est un nouvel être, semblable à elle par la majesté, mais son opposé. Elle est lourde, il est léger. Elle est immobile, épaisse, il est volatil. Elle est infiniment lente et lui prodigieusement inventif et instable. C'est Ouranos, *Ciel étoilé*, maître artisan de la Création, boulimique, bouillant. Sans lui le grand chantier serait en panne.

Gaïa l'a suscité en elle et conçu sans l'aide d'aucun mâle. Son corps est aussi vaste que le sien. Il la domine et la recouvre, pareil à un toit. Masculin et Féminin, face à face, se découvrent et se contemplent à la lueur des brasiers d'Éros, qui les brûle et les pousse à s'unir. Mais Gaïa est encore lourde d'une vie dont elle veut d'abord se libérer. Pendant qu'Ouranos s'impatiente, pressé de la couvrir, un torrent impétueux le rejette à distance. C'est le deuxième fils de la Terre, Pontos, *Flot d'eau salée*, qui se répand, inonde tous les creux de Gaïa et délimite des mers.

Dès que Gaïa a accouché, Ouranos s'abat sur elle, épouse chaque parcelle de son corps vertigineux et se déchaîne. La Terre tremble et soubresaute sous la brutalité de l'étreinte. Elle subit orages d'étoiles, fusions de lumières, tempêtes incandescentes attisées par de grands vents cosmiques. Le Créateur pousse ses forges, élabore sa semence et féconde la matière.

Dans la matrice obscure de la mère, lentement, des ombres s'esquissent, et des millions d'années passent sur le couple à la tâche. La furie ne faiblit pas. Des créations mûrissent et prennent forme. De grands êtres se déplient. Une génération de piliers, le schéma de l'univers qui se prépare, mais que le père maintient dans le ventre de sa compagne. Et des millions d'années passent encore sans que jamais le souffle d'Ouranos ne s'épuise. Il sent la lassitude de Gaïa qui regimbe sous lui. Elle voudrait échapper à son emprise et proteste, car la vie chauffe, remue en elle, réclame sa liberté, mais le géniteur n'en a cure. Ses enfants veulent naître ? Qu'ils attendent ! L'heure n'est pas encore venue.

Absorbé par son œuvre, ivre d'inspiration, il enlace plus fermement sa compagne pour besogner encore et encore, ne supportant aucun frein à son génie. L'heure est aux plans, aux perspectives, aux idées. Et un nouveau cycle de millions d'années flambe sous la frénésie autoritaire de celui qui pose les fondements du cosmos.

Gaïa n'en peut plus. Elle geint, se désespère. Ses enfants sont formés, viables. Ils étouffent dans la nuit du Tartare, aux lisières du néant. Ils sont dix-huit mastodontes, comprimés, écrasés les uns contre les autres. Six Titans et leurs sœurs Titanides[1], trois Cyclopes[2] au regard fulgurant, et trois Hécatonchires[3] aux cent bras. Elle les exhorte à se révolter.

« Libérez-moi ! Libérez-vous ! les houspille-t-elle avec véhémence. Prenez votre destinée en main ! Votre père vous ignore. Il s'entête et court à la catastrophe. Il n'écoute que son égoïsme. Tout ce qu'il a construit risque de s'écrouler. »

Elle est mère et la sagesse féminine de la nature parle en elle. Elle sait qu'après toute période de croissance, un temps de consolidation s'impose.

« Comment faire ? répondent ses colosses d'enfants, à demi somnolents dans la brume humide de son ventre. Nous ne sommes pas de taille à nous mesurer à lui ! »

Tassés dans les ténèbres glacées, ils sont paralysés par la terreur. Seul, Cronos, le plus jeune d'entre

---

1. Les Titans : *Océanos, Coeos, Crios, Hypérion, Japet, Cronos.* Les Titanides : *Théia, Rhéa, Thémis, Mnémosyne, Phoebé, Thétys.*
2. *Brontès, Stéropès, Argès.*
3. *Cottos, Briarée, Gyès.*

eux, dernier né de la Terre, proche d'elle, devine son chagrin et s'engage à ses côtés. Il rejette violemment ce père qui les martyrise en les maintenant dans les bas-fonds du monde.

« Indique-moi comment faire, répond-il à sa mère, et je t'obéirai ! »

Bouleversée par ce fils qui la comprend, Gaïa décide de rassembler la noirceur terrible qui monte en elle depuis Abîme. Elle sécrète un silex affûté dont elle façonne une lame en forme de croissant.

« Tiens ! dit-elle à son benjamin, en lui confiant l'arme ! Neutralise-le à tout jamais ! Rends-le stérile et sauve-nous ! »

Ouranos, toujours vautré sur Gaïa, travaille à la conception d'une nouvelle hiérarchie de Puissances et ne se doute pas de ce qui se trame. Il ne remarque pas l'éclat de la serpe. Il ne voit pas la sinistre main gauche du jeune Cronos émerger du giron de sa mère pour se refermer comme un étau sur ses parties génitales. Lorsqu'il sent la poigne, il est trop tard. Le bourreau, déjà, tranche dans le vif de la chair, et aussitôt se débarrasse du membre sanglant en le jetant par-dessus son épaule. La douleur est intolérable. Ouranos hurle, se décolle enfin de sa partenaire et se réfugie tout en haut du monde, d'où il ne descendra plus.

Le grand roi est détrôné. Son temps est achevé, mais il n'a pas dit son dernier mot. Les êtres qu'il élaborait sont déjà fécondés, et le crime de Cronos hâte leur naissance. Le sang de sa blessure tombe sur Gaïa et libère ces nouvelles vies : les Érinyes[1], les Géants et les Méliades, des Nymphes qui s'installent dans les frênes.

Tous sont virulents, conçus pour la vengeance et la discorde. Mais le maître des grands équilibres, avant de céder sa place, contrebalance le pouvoir de la violence par celui de l'amour. La chute de son membre mutilé s'achève dans les eaux de Pontos, où sa semence se mélange à l'écume de la mer. Un scintillement d'or éclabousse la houle, une forme apparaît, éblouissante, nue. C'est Aphrodite, la splendeur, ultime cadeau d'adieu du vieil Ouranos à l'univers.

*
* *

---

1. *Mégère* (haine), *Alecto* (innommable), *Tisiphoné* (destruction vengeresse).

Depuis le promontoire où il a tant souffert, Prométhée marque une pause dans son récit. Il s'attarde sur les vallées du Caucase où il perçoit encore l'écho de ses cris, regarde le hérissement des monts qui scient l'horizon. Des milliards d'années se sont écoulés depuis l'éclosion du grand mystère. Il en connaît toutes les péripéties, tous les méandres. Il hoche la tête, admiratif de cette immense complexité, puis revenant aux hommes d'aujourd'hui, à son projet de les éduquer pour que leurs actes corrigent la trajectoire du monde et le détournent de l'Abîme, il recommence à parler.

— Cronos a séparé le Ciel de la Terre sans faiblir. Il a débloqué la Création. Dorénavant, il règne en Maître. Entre le bas et le haut, un vaste espace s'est dégagé. Ses onze frères et sœurs s'y déploient, chacun s'y organisant un domaine à grands traits, élaborant les fondamentaux de la Création sur le socle établi par leur père. Les Titans sont puissants, rudimentaires. Ils tirent leur énergie du cosmos et n'entrent pas dans les détails qu'ils laissent à leurs descendants.

Océanos, l'aîné, jette son dévolu sur Gaïa. Ses flots tumultueux l'entourent de sa ceinture infranchissable. Il crée les trois mille fleuves qui sillonnent la terre et tous leurs affluents, puis, avec sa sœur Thétys, donne naissance aux quarante et une *Océanides*, qui règnent sur les ruisseaux et sur les sources.

Hypérion, le feu primordial, *Celui qui va au-dessus*, s'unit à Théia, la *Divine*, une autre Titanide, et suspend au firmament ses luminaires : Hélios, le *Soleil*, Séléné, la *Lune*, et Éos, le corridor de l'*Aurore*, qui permet au jour de succéder à la nuit, sans jamais commettre l'indiscrétion de la surprendre.

Thémis trace le cadre de la Loi qui régit l'ordre du monde, et Mnémosyne, future mère des Muses, crée la Mémoire qui empêche de juger trop vite. Pendant ce temps, mon père, Japet, se choisit pour compagne une des Océanides, Clyméné. Avec elle, il façonne quatre fils, quatre puissances cosmiques, qui laisseront leur empreinte sur le monde, Épiméthée, Atlas, Ménoetios et moi-même, Prométhée[1], radicalement différents les uns des autres. Épiméthée réfléchit toujours trop tard et sait comment il aurait dû agir une fois que les dés sont jetés. Atlas, immobile, les pieds rivés dans la terre, rêve de lancer un pont entre l'esprit et la matière. Ménoetios, dont l'audace à conquérir le Ciel fracassera la destinée, et moi, le plus proche

---

1. Respectivement : *Celui qui pense après*, *Celui qui supporte*, *Force anéantie*, *Celui qui prévoit*.

de notre grand-père Ouranos, je prévois, je conçois, j'imagine, j'élabore… et je piaffe d'impatience parce que mon heure n'est pas encore venue.

Après l'étourdissante frénésie ouranienne, Cronos porte un coup d'arrêt à la marche forcée de son père, qui ne se retournait jamais sur ses créatures. Lui aspire au calme et à la lenteur, à la réflexion qui mûrit les pensées, élabore de nouveaux projets, en leur laissant le temps de se développer. Cronos aime le silence et parie sur la durée. Mais il se révèle soupçonneux, sournois. C'est un jaloux qui craint pour son pouvoir.

Il ne redoute rien de ses frères et sœurs. Ils n'ont pas été capables de l'appuyer pour renverser le tyran et ils ne tenteront rien contre lui. Il les laisse agir à leur convenance et mettre en valeur l'héritage de leurs parents. Mais il ne fait confiance ni aux Cyclopes ni aux Hécatonchires. Ils sont trop puissants, trop imprévisibles. Il se méfie du regard foudroyant des premiers, dont l'œil cerclé déforme le front monstrueux. Quant aux seconds, leur puissance physique est plus redoutable que celle des Titans. Ils dominent tous ceux qu'ils saisissent. Le nouveau maître décide alors d'éliminer cette menace. Les Cyclopes et les Cent-Bras sont à peine libérés des souterrains du monde, où tous étaient emprisonnés, qu'il les fait saisir, couvrir de chaînes, puis boucler dans le Tartare derrière une triple muraille de fer, empêchant leurs rugissements de remonter à la surface.

Cette machination du préféré de ses enfants bouleverse Gaïa. Elle la reçoit comme une trahison, proteste avec véhémence, rue. Ses mers débordent, ses montagnes tremblent avec fracas, mais Cronos reste inflexible. Un choix est un choix et le sien était réfléchi. Impuissante, elle lui décoche une prédiction cinglante :

« Tu seras détrôné, fils, aussi brutalement que tu as détrôné ton père ! Et le coup fatal te sera porté de la même manière, par l'un des tiens ! »

Elle n'en dit pas davantage, mais Cronos en fait grand cas. Il a choisi pour compagne une de ses sœurs, Rhéa, la plus semblable à sa mère. Un ventre doux et fécond, une autre *Terre*, mais plus fine, plus limoneuse. C'est avec elle qu'il compte lancer son programme. Il veut perfectionner l'univers, le sortir des masses de l'infiniment grand pour le conduire vers l'infiniment petit. Telle est son ambition ! Pourtant, hanté par l'attentat contre son père, il sait que ses enfants lui succéderont pour diriger la suite de cette évolution. Cette idée lui répugne. Il ne veut rien partager avec eux, et il entend rester le maître à jamais. Aussi, lorsqu'il s'accouple une première fois, il se tient sur ses gardes et, pendant la grossesse de sa femme, il élabore une ruse destinée à le protéger de l'oracle de Gaïa.

Son premier enfant est une fille : Hestia, la *Terre* encore, comme sa mère et sa grand-mère, car la Terre est toujours à l'origine d'une nouvelle génération. Mais la modulation de son nom a changé, car Gaïa, depuis son expulsion du chaos, s'est transformée. La petite est pleine de promesses, et lorsque Rhéa, après avoir accouché, la présente à son père, celui-ci la prend dans ses bras et l'avale, *hop !* d'une seule bouchée, comme un petit pain tout chaud sorti du four !

« Celle-ci ne conspirera pas contre moi ! » ricane-t-il, très fier de sa fourberie.

Rhéa n'ose pas protester.

Les gestations se multiplient et les enfants se suivent. Viennent ensuite Déméter, *Mère de l'Orge*, puis Héra, *Protectrice*. Gobées toutes rondes, comme leur sœur, l'une après l'autre. Après le ventre de la maman, elles poursuivent leur croissance dans le ventre du papa qui devient mère à son tour. Cronos couve ses enfants, se fait un devoir de ralentir leur développement, imposant à leur esprit de mûrir dans ses tripes, car un long silence est nécessaire à l'éveil de leur conscience. Il les dévore par amour de ce qu'ils deviendront. Nul ne le comprend. Ni Rhéa, impuissante, qui accumule la colère en subissant la virilité de son époux, ni ses enfants qui se gorgent de la rancœur maternelle. Naissent alors deux garçons, Hadès, l'*Invisible* et Poséidon, *Celui qui donne à boire dans la montagne boisée*. À leur tour, ils passent à la trappe !

Mais lorsqu'elle sent une sixième vie remuer en elle, Rhéa décide de ne plus accepter le sadisme de son époux. Elle se confie à sa propre mère qui la conseille.

« Quand tu seras à terme, va-t'en ! lui recommande Gaïa. Pars accoucher en secret. Je couvrirai ta fuite. Cronos ne soupçonnera rien. »

C'est ainsi que, le moment venu, Rhéa fausse compagnie à son époux et trouve refuge dans une caverne du mont Ida, en Crète. Là, dans un silence extrême, elle met au monde un troisième garçon, Zeus, *Ciel lumineux*. Après l'avoir baigné, elle le confie aux Nymphes et aux Curètes, des démons turbulents, qui promettent de prendre bien soin de lui. Puis elle retourne auprès de Cronos, serrant dans ses bras une pierre emmaillotée à la manière d'un nouveau-né, que l'ogre, en la voyant, engloutit aussitôt avec délectation.

Zeus est sain et sauf. Il a échappé à la loi d'immobilité et de rumination de Cronos. Certes, le temps du Maître suprême est encore long, mais l'éclat de son règne commence à pâlir.

2

Où l'on entend battre
la lente pulsation des étoiles

— Zeus est donc dans les coulisses et prépare sa future entrée sur le théâtre du monde, poursuit Prométhée. Pendant ce temps, l'arbre de la Création continue de bourgeonner, de feuiller, de se ramifier à tout-va. L'univers s'organise dans la démesure. Les Titans parachèvent leur ouvrage à coups de bombardements et d'explosions ravageuses. La matière électrisée se répand dans l'infini, se rassemble en constellations, en galaxies, où des pouponnières d'étoiles, nichées au creux de leurs bras immenses, couvent des soleils par millions. Le feu céleste cuit les berceaux où s'abritera la vie. Bientôt, des planètes émergent de la nuit, flottent à la dérive, se laissent hypnotiser par des géants de lumière et entament avec eux leur vertigineuse danse atomique.

L'univers est parcouru de frissons. Il roule avec majesté dans un silence étourdissant.

Entraînée par cette ivresse, Terre, elle aussi, subit ce malaxage. Elle se boursoufle, craque, s'étire, labourée par les séismes. Orages de cendres, jets de vapeur brûlants s'élèvent vers le soleil et masquent la lumière. L'atmosphère est suffocante.

Ce grand toilettage annonce une métamorphose éblouissante. Je l'attends avec impatience en écoutant ce grondement de trompes et de timbales. Terre se purifie et se raffine. Bientôt, les Titans ouraniens, trop puissants, ne pourront plus la toucher. Leur folle énergie la pulvériserait. Ils devront céder la place à une génération de maîtres plus subtils, pour faire de Gaïa une reine d'élégance.

Je songe à cet avenir. Il me hante. Je vois la végétation embellir la terre. Je la vois habitée par toutes sortes d'espèces animales. Il lui faut davantage. Il lui faut un être qui s'émerveille de son éclat, une pensée, un habitant qui jardine le royaume et l'exploite pour en tirer du fruit. Un Prince ! De même nature que la Mère, de même texture, tiré d'un fragment de son corps où l'on entend aussi bien mugir le souffle de l'Abîme que battre la lente pulsation des étoiles. Un être qui porte en lui ces deux infinis. Un Terrien !

C'est alors qu'une silhouette s'élabore dans mon esprit, puis se détache de moi. Je la recueille dans le creux de mes mains. C'est une petite sphère de lumière. Elle vibre, chatoie de clartés intenses. Elle chante. Je la dépose sur la berge d'une rivière au sol malléable, puis je rassemble une colline de ce terreau au cœur de laquelle je glisse mon ferment tout chaud. Après quoi, je me retire à l'écart pendant que la magie opère.

Le mélange prend la consistance d'une pâte qui ne tarde pas à gonfler. Elle est tiède et souple. Je la pétris en lui donnant l'apparence qu'elle avait dans mon rêve : une forme fuselée, élevée vers le ciel, pourvue de quatre longs membres qui lui permettront de se mouvoir et d'occuper l'espace. Puis, à nouveau, je laisse rouler le temps sur le pâton.

Je ne m'éloigne jamais de lui. Je le surveille. Je le regarde frémir, et lorsque je le juge assez nourri de silence, je souffle sur lui, avec d'infinies précautions. Aussitôt, il s'anime, se tourne vers moi, s'offre à la caresse de ce coulis de vent humide. L'émotion me saisit. L'être vit. J'ai réussi mon pari. De l'humus de Terre, j'ai créé… Un mot surgit en moi, s'impose.

J'ai créé un… humain. Un homme ! Et, à l'instant où je prononce ce titre de noblesse, l'être s'ébranle, décolle un pied de la rive, avance la jambe, hésite, décolle le second pied, avance encore, me cherche… Premiers petits pas d'homme sur son chemin d'humanité !

Je suis bouleversé, je pleure ! Oui, moi, Titan, fils de Titan, je verse des larmes d'eau salée que je répands sur son front en lui déclarant solennellement : tu es homme, mon chef-d'œuvre pour Gaïa. Je t'aime et je te protégerai !

L'être se laisse rafraîchir et se tend vers cette pluie. Un filet coule sur sa bouche. Il goûte, pousse un profond soupir et offre toute sa face pour se désaltérer.

Il ne peut me distinguer. Il ne perçoit de moi qu'une onde chaude qu'il ne sait pas identifier, et je continue d'entretenir ma présence par mon souffle sur lui, léger, pur, descendu des étoiles.

Ce prototype achevé, je lui offre des compagnons. Tous sont mâles et femelles à la fois. Ils se reproduiront d'eux-mêmes, avec l'aide de la Lune. Je les nomme eux aussi, à tour de rôle, je les ondoie, et mon eau s'ajoute au ferment de leur cœur, à mon haleine, à leur substance de terre. Cette cérémonie accomplie, je me retire. Je les laisse se rencontrer, se reconnaître, se rassembler en grands troupeaux nonchalants, partir à la découverte de Gaïa. Tout est nouveau. Ils découvrent les splendeurs dévastatrices de leur domaine et communiquent entre eux, en imitant les turbulences de la nature, qui sont l'écho de la voix terrible des Titans.

Ils ne connaissent encore ni la peur, ni la douleur, et lorsqu'ils disparaissent, noyés sous des cataractes, grillés par des coulées de lave, broyés par des avalanches de rochers, ou parce que leur temps est simplement venu de se retirer du monde, ils ne laissent aucun vide, ne causent aucune tristesse à personne.

Ils meurent et renaissent en ribambelles heureuses, se développent, pullulent, et, des milliers de générations plus tard, une étincelle se fraye un passage dans la bouillie obscure de leur raison. Ils s'enhardissent, recherchent la compagnie des uns et des autres. Ils distinguent le chaud du froid, apprennent la prudence qui protège. Un jour, l'un d'eux, pour une raison inconnue, rit, et son rire, après avoir interloqué ses compagnons, se transmet à toute la colonie qui, à son tour, expérimente ce nouveau bruit. Le modèle ne vient pas de la nature. Il leur appartient. C'est leur bien. Le rire dormait en eux et ils l'ont réveillé. Soudain, la joie les submerge. Ils dansent.

Après ce premier rire, ils ne tardent pas à se découvrir riches d'une multitude d'autres habitants : chagrin, mélancolie, colère, douceur…

Toujours invisible, je les observe, je jubile de leur lente évolution, préparant déjà les prochaines étapes. Je rêve de futur pendant qu'ils se développent dans cette enfance de la vie. Leurs descendants la baptiseront *Âge d'or*. Un Âge d'or de la candeur sereine, de l'insouciance, de la naïveté ! Les premiers sentiments caressent leurs cœurs à peine sortis de la nuit. Renvoyer à cet Âge d'Or ceux qui le désirent aujourd'hui serait un supplice pire que mon Caucase. Qui voudrait de ce paradis-là, s'il le connaissait ? Comment les hommes de maintenant peuvent-ils regretter la disparition de cette époque ? La nostalgie du bon vieux temps est un poison qui les égare dans leur recherche du Ciel, un des obstacles sur le chemin de la Maison.

Pendant que je travaille à l'avenir de Gaïa, mon cousin Zeus quitte l'enfance.

Cronos l'a cherché après sa naissance et ne l'a pas trouvé. Après avoir gobé la pierre emmaillotée de langes, en effet, il a flairé le subterfuge de Rhéa. Il s'est douté qu'un complot se tramait contre lui, et, sans attendre, a tenté de le tuer dans l'œuf, remuant ciel et terre pour découvrir l'enfant. En vain ! Celui-ci est resté introuvable. Les Curètes, malins, avaient suspendu son berceau d'or dans les branches d'un arbre, en le rendant invisible. Et pour couvrir les vagissements du bébé, ils frappaient leurs lances de toutes leurs forces contre leurs boucliers, en hurlant comme s'ils s'entraînaient à la guerre.

Cronos finit par abandonner sa traque.

Le poupon grandit, nourri du miel des abeilles du mont Ida et du lait de la Nymphe-chèvre Amalthée. Au moment de l'adolescence, il s'installe incognito chez les bergers de la montagne qui lui apprennent le métier. Garder les moutons, veiller sur eux, les conduire vers les meilleurs pâtures, anticiper les dangers, se faire craindre… Quand il sera aux affaires, lui aussi régentera l'univers comme il mène les troupeaux.

À mesure que les années s'écoulent, la fièvre de l'action le tenaille. Il prend conseil auprès de Métis, fille d'Océanos, une de ses innombrables cousines, prudente et rusée.

— Cronos nous persécute depuis trop longtemps, lui explique-t-il. Mon grand-père était déjà un infect égoïste, et son fils a pris le même chemin. Faire des enfants pour les étouffer, les empêcher de se développer ! Voilà leur modèle d'éducation ! C'est une maladie de famille ! Je veux libérer le monde de cette hérédité. Je veux libérer mes frères, mes sœurs. Je veux renverser cette dictature et me débarrasser de mon père ! Comment agirais-tu, Métis ? Dis-le-moi !

— C'est enfantin ! répond l'Océanide. Tiens, prends cette fiole. C'est un vomitif. Trouve un moyen de te faire engager au service du roi comme échanson. Au moment de lui servir à boire, mélange ma purge à sa boisson. Efficacité garantie ! Ensuite, une fois ta fratrie réunie, tu sauras ce que tu dois faire.

Zeus saisit la fiole, déterminé, calculant déjà l'organisation de son pouvoir après le renversement du tyran.

— Méfie-toi ! le met encore en garde Métis. Il n'y a pas plus fourbe que Cronos. Tu es le sang neuf dont la Création a besoin, et tu viens à ton heure, mais il ne suffit pas d'avoir raison pour l'emporter. Tu devras combattre. Être fort, sans pitié ! Le vieux est roublard. Il ne cédera pas facilement sa place.

Zeus prend congé, se déguise en serviteur et se présente au palais, où personne ne le connaît. Il parvient à se faire engager, s'introduit sans difficulté auprès du roi et, à la première occasion, verse l'émétique dans sa coupe de vin. Instantanément, Cronos, l'estomac ravagé, se tord de douleur. Les yeux exorbités, il cherche de l'aide du côté de son échanson, et le voyant immobile, détaché, sans la moindre commisération, il le reconnaît.

— Alors te voilà… fils ! éructe-t-il, en crachant ce mot avec dégoût. J'avais raison de te chercher !

Il voudrait le noyer sous les sarcasmes, mais une contraction lui extirpe un grognement. La dernière bouchée qu'il a engloutie, la pierre, le faux Zeus, lui obstrue le gosier et l'empêche de parler. Il vomit.

— Oui, c'est moi, justement ! ironise Zeus, en regardant le rocher tomber avec fracas !

Cronos ne parvient pas à répondre. Ravagé par les spasmes, il étouffe de haine, s'étrangle. Ses enfants déchirent ses entrailles, et lui, gueule béante, les régurgite à la queue leu leu, mêlés à un torrent de grêle, de lave tiède et de cendres arrachées à son gosier. Tous ses enfants débarquent au grand jour, des plus jeunes aux plus âgées, dans l'ordre inverse de leur dévoration. Poséidon, Hadès, puis Héra, Déméter et Hestia, enfin, retrouvent la liberté.

Exténué par son accouchement, essoufflé, le Maître comprend que sa progéniture est maintenant parvenue à maturité. Ses enfants sont prêts à monter sur scène, c'est à lui de disparaître en coulisse. Ils se tiennent devant lui, tous les six, menés par le plus jeune, arrogants, narquois. Il les jauge, soupèse leurs qualités, en reprenant ses forces.

— Des bleus ! les toise-t-il avec dédain. Vous êtes des bleus ! Je ne vous laisserai jamais les commandes. Vous ne connaissez rien du monde, rien de la manière de le gérer ! Rien de la politique ! Je peux encore tous vous dévorer d'une seule bouchée !

— L'univers a évolué sous ton règne et cette évolution a profité à tous, objecte Zeus. On a appris de toi, malgré toi ! Mais aujourd'hui, tu es fini. C'est à nous de jouer ! Tu n'as plus assez de vigueur pour continuer ! Cela devrait te réjouir de voir tes chefs-d'œuvre te succéder !

— N'y compte pas, gamin ! persifle Cronos. Il faudra d'abord me passer sur le corps. Si tu veux le pouvoir, viens le chercher !

Métis avait raison, il est coriace. Décidé à garder son trône, il passe à l'offensive. Il lance ses dernières paroles en disparaissant, et l'univers roule, malmené par sa fuite. Le vieil orgueilleux menace, intimide. Pour conserver sa suprématie, il est prêt à ramener le monde à ses débuts, à renvoyer la Création au Chaos.

— Tu as beau grogner, ton chantage ne prend pas ! hurle Zeus. L'horloge du temps a tourné. C'est ton heure !

La voix du rebelle tranche sur le vacarme. D'emblée, il s'est imposé à la tête des contestataires.

*
*   *

C'est la guerre ! Chaque camp se prépare, rassemble ses forces, se cherche des alliés.

La famille des Titans se serre les coudes. Une force de frappe terrifiante ! Seul le grand Océanos se tient à l'écart. En face d'eux, les trois Cronides, jeunes, mais déterminés.

Le conflit ne laisse personne indifférent. Il s'installe dans toutes les familles et répand la discorde. La mienne n'est pas épargnée. Mes frères et moi sommes en total désaccord. Nous devrions sans hésiter nous ranger du côté des nôtres : notre père, Japet, notre oncle Cronos, et prendre le parti des Titans contre nos cousins, déjà retranchés sur l'Olympe. Mais je penche pour Zeus. L'ordre des choses est de son côté. C'est lui qui vaincra, j'en ai la conviction. Il paraît léger face aux monstres issus de notre ancêtre Ouranos, pas encore aussi rusé que Cronos, mais capable de négocier de bonnes alliances. Et puis je pense à mes hommes, qui ont continué de se développer dans leur douce innocence. Attendrissants, simples, si vulnérables… Pas question de les abandonner ! C'est avec Zeus que j'aurai les meilleures chances de poursuivre mon œuvre. Elle resterait figée si les Titans conservaient leur suprématie.

Épiméthée me suit. Inconsistant comme d'habitude, et maladroit, il n'a jamais d'opinion marquée. Il attend toujours que je me prononce pour s'affirmer, et si jamais les Olympiens l'emportent, il sera le premier à s'exclamer : « J'en étais sûr ! Je vous l'avais dit ! C'était tellement évident que j'aurais dû parier ! »

Atlas et Ménoetios restent fidèles aux Titans. Pour eux, je suis un traître.

Atlas, notre aîné, est un inflexible taillé dans un minerai lourd. Massif comme une montagne dont la cime se tend vers le ciel, il rêve de rassembler les contraires, de se nourrir de toutes les contradictions. C'est parce qu'il est capable de rester serein dans la tourmente que Cronos, trop vieux pour diriger lui-même ses troupes, lui en a confié le commandement.

Quant à Ménoetios, splendide orgueilleux, intrépide et fracassant, il ne veut rien moins que conquérir le Ciel, coûte que coûte, et le conflit qui se prépare est l'occasion propice. Dévoré d'ambition, il est prêt à tout, bousculer, passer en force au mépris des destructions et des dégâts ! Il se rêve maître suprême, détenteur des accès à la source d'énergie qui alimente l'univers.

Nous tentons bien de parler, de nous expliquer, mais rapidement notre discussion tourne court. Nos choix sont trop inconciliables. Nous devenons adversaires, irrémédiablement.

3

Les Titans
lancent leur premier assaut

Tous veulent en découdre, et les ancêtres retiennent leur souffle. Gaïa est sur le qui-vive. Elle n'a pas l'intention de rester en dehors du conflit. Ses deux générations d'enfants sont ennemies. Elle les sait capables du pire, et compte bien peser de tout son poids de mère pour ramener les insensés à la raison – quitte, s'il le faut, à les corriger. Abîme se réjouit. La guerre est pour lui une aubaine, une occasion juteuse de reprendre du service, et il savoure les rumeurs barbares qui parviennent aux tréfonds de sa retraite ténébreuse. Quant à Éros, il est omniprésent. Sollicité à outrance, il emporte, il enfièvre, enflamme les ardeurs et fait crépiter la frénésie, pendant que le vieil Ouranos, plafond du monde, assiste à ces préparatifs de loin, la mort dans l'âme à l'idée de la désolation à venir.

Au cœur de leur territoire, dissimulée dans un lointain de galaxie, protégée par les précipices vertigineux du cosmos, la citadelle des Titans, l'Othrys, taillée dans la roche métallique d'un astéroïde, se dresse, arrogante et hautaine. Les vociférations guerrières de ses habitants l'auréolent de lueurs d'incendie. C'est là, aux ordres d'Atlas, qu'ils élaborent leur plan d'attaque, tout de violence massive et de choc frontal.

Pendant ce temps, Zeus et les siens, campés sur l'Olympe, se tiennent rassemblés dans la lumière éclatante de l'éther. Ils sont jeunes, inspirés et audacieux. Ils ne connaissent pas le doute. Leur domaine étincelle. Leur enthousiasme éclaire comme un flambeau le chantier de la Création inachevée, réchauffant les germes du futur en gestation.

C'est là que je rencontre Zeus pour lui offrir mon aide.

Lorsque j'arrive, en compagnie d'Épiméthée, il confère avec ses frères, Poséidon et Hadès. Leur conversation est animée, mais s'interrompt dès que nous paraissons.

— Des Titans, ici ! s'exclame-t-il. Voyez-vous ça ! En plein quartier général de l'ennemi !

— Fils de Titan, seulement, s'empresse d'atténuer Épiméthée.

Zeus esquisse un sourire, sans me quitter des yeux. Il attend ma réaction.

— Tout comme toi… cousin ! lui dis-je, puisque nous sommes de même sang. Qui sait d'ailleurs comment notre querelle de famille, qui va secouer l'univers, se répercutera sur nos descendants ?

— La destruction menace, et tu viens me parler de descendance ?

— Mort et naissance sont les deux visages de la vie. Qui naît ? Qui trépasse, et qui peut échapper à la mort ? Il est prématuré de répondre à cette question, mais elle devra être tranchée. Nous y reviendrons plus tard, quand nous aurons vaincu. Aujourd'hui, je viens surtout t'offrir mon appui. L'acceptes-tu ?

— Oh, je l'accepte, et avec empressement, cousin ! C'est une joie de te compter dans nos rangs. Mais, permets que je te parle crûment. Entre alliés, c'est un devoir. En nous rejoignant, tu trahis les tiens ! Tu en es conscient, n'est-ce pas ?

À mon tour, je l'observe. Il me provoque. Je me sens examiné.

— Si je m'engage à tes côtés, je me dresse contre mon père, c'est vrai ! Et je trahis son camp de vieux immobiles, jaloux de leurs privilèges, de leur influence. Mais si je combats dans les rangs des Titans, c'est l'imagination que j'insulte, l'intelligence, l'aventure. Je trahis l'avenir. Alors, tu vois, quel que soit mon choix, je trahis. Donc, je suis un traître, tu as raison ! Mûrement réfléchi et assumé. Un traître heureux ! Cela te convient-il ?

Zeus se décide à rire, mais avec retenue. Il évite surtout de répondre à ma question.

Alors que nous nous apprêtons à évoquer notre stratégie de combat, les premiers grondements nous parviennent. Lointains, menaçants, ils annoncent l'approche du ravage. C'est ainsi que la bataille s'engage. Elle ne faiblira jamais tout au long des dix grandes années que durera l'affrontement. Dix ans d'immortels, dix mille ans d'éphémères !

Les Titans lancent leur premier assaut sur les étoiles, et s'en prennent d'abord aux galaxies. Il les saisissent par les bras qu'ils arrachent avec une joie féroce, les font tournoyer comme de gigantesques toupies, et les propulsent vers l'infini, loin des secteurs où elles avaient commencé à faire éclore la vie. Les démolisseurs parcourent la voûte céleste, grognant, barrissant, l'esprit de nuisance en alerte, tels des voyous en quête de pillage. Partout, ils traquent les systèmes où

48

les planètes ont déjà entamé leurs danses autour de leur étoile. Ils en fracassent les astres, méthodiquement, brisant l'harmonie naissante, l'empêchant de se propager, dérèglent avec minutie les rouages de la mécanique cosmique partout où elle prend son essor. Ennemis des splendeurs qu'ils ont contribué à créer, destructeurs par dépit de savoir leur autorité menacée, ils pulvérisent la matière, en tirent des orages de poussières en fusion qu'ils projettent vers tous les horizons du ciel.

Ouranos, le concepteur des premiers temps, témoin muet de cette débâcle, est atteint. Son ventre saigne et se déchire. Les accrocs béants de son étoffe stellaire révèlent une ténèbre inconnue, plus profonde que la nuit, un vide invisible par où ses toutes premières créations sont happées et disparaissent en sifflant comme de grands vols d'oiseaux désemparés. Des millions d'étoiles sont emportées, et le néant reconquiert le terrain qu'il avait perdu. La frénésie meurtrière des Titans, en accroissant leur vigueur, les a rendus capables de démultiplier l'Abîme en lui inventant des petits !

Savoir qu'Atlas, mon aîné, commande cette infamie, me répugne.

49

Les Olympiens ripostent, sillonnant l'espace à travers l'obscurité suffocante qui gagne. Ils s'empoignent corps à corps avec les dévastateurs, leurs oncles et cousins, se heurtent en clameurs féroces, la cruauté répondant à la haine. Si les assaillants sont parfois freinés par les ripostes, si certaines destructions sont évitées, leur sauvagerie ne perd jamais l'avantage. Leur supériorité paraît inexorable et de grandes tornades de feu se forment spontanément, s'élevant en torches tourbillonnantes dans l'éther, comme anticipant leur inéluctable victoire.

Des débris incandescents commencent à atteindre les contreforts de l'Olympe. Zeus, qui voit tout, discerne mon inertie. Il m'interpelle.

— Tu attends le moment propice pour nous frapper dans le dos, Prométhée ? Traître un jour, traître toujours !

Il réussit à m'exaspérer, et je lui réponds en hurlant dans le vacarme.

— Je réfléchis, et tu devrais en faire autant ! Tes coups sont trop prévisibles. Tu manques de ruse. Sur le terrain de la force, tu n'auras jamais le dernier mot avec les Titans.

Je l'entends vitupérer, mais je ne l'écoute pas. Je reste concentré. La force n'est pas le domaine où j'excelle, et pendant que la bataille faisait rage, c'est vrai, je me tenais à l'écart de la furie. Mais j'entrevois maintenant une contre-attaque possible, et j'y travaille.

Ce monde que les Titans s'appliquent à raser, j'en pressens les transformations. Je vois les millions d'années à venir. Je vois la végétation embellir Gaïa, le règne animal prendre son essor. Je vois la vie façonnée par l'intelligence et le talent de mes humains, leurs tentatives, leurs découvertes. Tous ces possibles m'enthousiasment. Ces promesses d'avenir sont ma contribution à la lutte, j'en forme des répliques animées, je les clone, et je confie le soin à Épiméthée de les nommer. Identifier le travail accompli est une tâche qui lui convient parfaitement. Il lui suffit de regarder un objet inconnu pour qu'aussitôt, d'un mot, il lui dicte son utilité.

Je ne l'attends pas. Je crée, j'élabore, et il nomme. Tout se mêle, variétés de plantes, animaux gigantesques, et les inventions des hommes, friands de changement, insatiables. Je m'imprègne de ces présages, et je les duplique sans relâche, emporté par le flot de mes visions. Je ne m'appartiens plus et, devant l'abondance, mon frère se trouve rapidement submergé par l'ampleur de la tâche. Lorsque je commence à former des hologrammes des scènes qui m'apparaissent, les regroupements des communautés humaines, leurs vastes concentrations, leurs habitats, leurs moyens de se déplacer, leurs armes terribles, le fracas de leurs colères, la vitesse de propagation de leur génie, Épiméthée est débordé. J'ai peur qu'il renonce et je le rassure :

— Épiméthée, regarde ! C'est pour donner une chance à ces merveilles, qu'il faut contrer les Titans ! La terre est le berceau de l'intelligence, un paradis de créativité qui se développe de prodige en prodige. Un jour, des êtres la quitteront pour explorer le Ciel, à la recherche de leurs concepteurs. Ils braveront l'inconnu pour nous rencontrer. Dans cent millions d'années, tu tiendras encore ta place dans ce monde. Bats-toi !

Mes paroles le stimulent. Il reprend sa tâche à son rythme, prudent, mais engagé dans la lutte avec le meilleur de ses qualités.

Mes créations s'échappent de moi, pareilles à des nuées crissantes, prennent leur envol, inondent l'espace. Je les jette à la face des Titans, lesquels, soudain environnés par des myriades d'assaillants inconnus, fléchissent, distraits de leur saccage.

Forces cosmogoniques premières, ils sont raides et lourds. Mes créations papillonnent autour d'eux, leur danse les étourdit. Ils cherchent à les saisir, les pourchassent. Mais on ne s'attaque pas à des mirages, et pendant ce temps Zeus, Hadès et Poséidon profitent de cette occasion pour reconquérir une partie du terrain perdu et reprendre l'avantage. Même l'ancêtre, Cronos, est séduit par mes créations. Son instinct maternel se ranime, comme au temps où il dévorait ses enfants, et la nostalgie fait gargouiller son ventre. Il cherche à s'emparer de cette manne de descendants venus du futur pour l'engloutir et la couver, comme il avait couvé ses rejetons. Mais le vieux renard n'est pas facile à abuser. Après quelques tentatives infructueuses, il comprend qu'il court après le vent.

— C'est un leurre ! hurle-t-il en houspillant les siens. Un piège de Prométhée ! Atlas, grand niais, ressaisis-toi ! Et toi, Japet, débarrasse-nous de ton nuisible de fils !

Le répit que j'ai apporté est de courte durée. Les affrontements redoublent sous la pression des Titans furieux d'avoir été bernés. Les Olympiens ont cependant repris confiance, et je continue de brouiller la vue des monstres, de gêner leurs mouvements en les submergeant sous une tourmente d'images nouvelles.

Hélas, insensiblement, les forces s'équilibrent à nouveau et les destructions des mastodontes regagnent du terrain.

Le ciel bousculé vacille, manque plusieurs fois de s'écraser sur la terre. Les eaux d'Océanos bouillonnent et cuisent. De vastes incendies de vapeur s'élèvent, enveloppant Gaïa sous un manteau de gaz opaques. La Grande Mère étouffe. Elle brûle, larmoie, et, écœurée par le jusqu'au-boutisme des Titans, se décide enfin à prendre une décision terrible :

— Zeus ! clame-t-elle de sa vieille voix rugueuse, cours libérer du Tartare les Cyclopes et les Hécatonchires ! Sans leur aide, cette guerre ne finira jamais !

Retenu par un assaut dans une constellation lointaine, son petit-fils l'entend. Sa parole est d'or et ses conseils ont valeur d'oracle. Elle craint le pire, et Zeus comprend que le temps presse. Il rompt aussitôt le combat, plonge sous la surface du monde, traverse les Enfers et descend vers les gouffres si noirs du Tartare que les cris se perdent à peine jaillis de la gorge. Il faut neuf jours et neuf nuits à une enclume de bronze lâchée de la cime du ciel pour atteindre la surface de la Terre, puis la même durée pour parvenir aux Enfers, et encore neuf jours supplémentaires, et neuf nuits, pour toucher les premiers souterrains du Tartare.

Quand Zeus disparaît dans le dédale où croupissent les ennemis de Cronos, je le perds de vue. Je suis trop occupé par les leurres dont je continue d'assaillir les Titans pour le suivre mentalement. J'ignore donc tous les détails de son aventure souterraine, même si j'en connais l'issue.

*
* *

Pendant que ses partenaires poursuivent le combat, Zeus, guidé par l'esprit de Gaïa qui l'accompagne, a vite fait de découvrir l'antre de tous les désespoirs. Il en fracasse les portes, se heurte à Campé, la gardienne aveugle, qui s'interpose en feulant. Son corps monstrueux, plaqué de basalte, grince horriblement au moindre geste et ruisselle des eaux putrides du monde. Zeus la balaie d'un revers et la massacre, puis il fait voler en éclats les chaînes des prisonniers, les arrache de leur trou infect, et les remonte dans son quartier général de l'Olympe.

— Ce conflit doit cesser, leur dit-il. Aidez-nous ! La Création est en danger. Elle doit parachever son évolution, et vous êtes les clés de la paix. Venez, il n'y a pas un instant à perdre. Vous êtes de la génération des Titans. Votre engagement à nos côtés sera déterminant.

Les colosses qui viennent de retrouver la liberté ne se hâtent pas, et ne se montrent pas aussi reconnaissants que Zeus l'espérait. Ils sont prudents, hésitent. Leurs grandes carcasses se balancent ; les cent bras des Hécatonchires ondulent, pareils à des nœuds de serpents. Que vont-ils faire de leur liberté nouvelle ? Conquérir des territoires neufs pour leur propre compte ? Trahir leur libérateur en négociant auprès de Cronos leur retour dans son clan ?

— Non, ils ne peuvent pas se retourner contre moi, s'inquiète Zeus. Gaïa n'a pas pu commettre d'erreur. Toutes ses intuitions sont vérité.

Se poser cette question, n'est-ce pas déjà douter ? Gaïa a-t-elle sciemment tendu un piège aux Olympiens ? Cela ne lui ressemble pas, mais comment ne pas l'envisager ?

— Vous craignez qu'une fois le travail effectué, je vous renvoie au Tartare ? leur demande-t-il soudain. Que je vous remercie à la manière de Cronos, en vous éliminant. Vous vous méfiez de moi ?

Les six Puissances confirment avec de graves hochements de la tête.

— Cela ne se produira jamais ! se récrie Zeus. Je m'y engage. Mais comme les vainqueurs oublient toujours leurs promesses, je veux vous donner une preuve de ma sincérité. Indiscutable ! Elle tient en deux mots : Nectar, Ambroisie ! La nourriture de l'Olympe ! Celle qui nourrit nos corps d'immortalité. Elle est dorénavant la vôtre. Buvons !

Il s'empare de six coupes qu'il va plonger dans un bassin de Nectar, et alors qu'il procède à la distribution, Hadès et Poséidon surgissent. Ils ont pressenti qu'un tournant du conflit se jouait, et ils viennent seconder leur cadet.

— Vous tombez à pic, frères ! Je m'apprête à signer un pacte d'alliance avec nos oncles. Joignez-vous à nous. Notre engagement n'en sera que plus solide.

Les nouveaux venus remplissent leurs coupes à leur tour, puis tous trinquent et boivent.

— Vos places sont maintenant acquises au sein de la famille de l'Olympe ! déclare Zeus, solennellement. Une fois ce conflit terminé, vous resterez à nos côtés. Le monde ne se déploiera pas sans vous.

Ils remplissent maintenant leurs cratères dans le bassin d'Ambroisie, trinquent pour la seconde fois, se désaltèrent, puis Zeus, satisfait de cet accord, met fin à la cérémonie.

— Reprenons la guerre ! les exhorte-t-il. N'attendons plus !

Mais les invités paraissent toujours aussi peu pressés. Ils ne bougent pas et marmonnent en se consultant.

— Les Cyclopes sont avares de paroles, pense Zeus. Difficile de savoir ce qu'ils ont dans la tête. Désirent-ils boire encore ?

Ils hésitent. Leur œil flamboie de malice. Soudain, ils se décident, et, roulant d'une jambe sur l'autre, Argès, Stéropès et Brontès[1] s'approchent de leurs hôtes. Que veulent-ils ? La réponse apparaît alors entre leurs mains énormes. Ce sont trois silhouettes étranges qui étincellent. Trois inestimables cadeaux que ces grands maîtres des forges ont conçu pour honorer les Olympiens : le feu paralysant de la foudre pour Zeus, le casque d'invisibilité pour Hadès, et le trident qui déchaîne les flots et retourne la terre comme la table d'un banquet pour Poséidon. Trois armes imparables, attributs de la puissance de ces jeunes fringants. Lorsque ces derniers les reçoivent, le ciel de l'Olympe s'embrase aussitôt, lacéré de fulgurances,

---

1. *Lueur de l'éclair, Nuées de l'orage* et *Éclat du tonnerre.*

les nuées se déchirent, déversant leur nuit sur la terre, des gouffres s'ouvrent dans le sol, laissant jaillir des fragments d'abîme en fusion. La victoire est proche, et les futurs vainqueurs se font la voix, ovationnés par les Hécatonchires dont les cent bras martèlent une cadence qui s'ajoute au fracas.

Au loin, les Titans perçoivent le roulement de ces tambours et se tassent sur eux-mêmes. Une contre-offensive majeure s'annonce. Ils s'apprêtent, plus massifs que jamais.

L'entrée en lice des champions se révèle déterminante. La foudre constelle le ciel, pulvérise, les uns après les autres, les assauts de l'adversaire. Les Hécatonchires sont partout à la fois, luttent corps à corps, immobilisent, mordent, déchirent. Leurs hurlements provoquent la stupeur des Titans qui fléchissent, doutent à leur tour, et finissent par plier. Bientôt ils renoncent et se rendent, sidérés et vaincus. Une grande chape de silence s'abat sur les ruines calcinées du monde. Le désastre est immense, mais Zeus exulte. Il a vaincu. La Création est sauvée. Elle va pouvoir rebondir.

— Au Tartare ! hurle-t-il à l'adresse de ses ennemis. Aucune miséricorde !

Il les confie aux Cent-Bras, Cottos, Gyès et Briarée.

— Enfermez-les. Serrez-les bien, afin qu'ils ne revoient jamais la lumière ! Il n'y a pas meilleurs geôliers que vous.

Artisans au savoir-faire impérissable, les Titans attendront dans l'ombre froide, prêts à reprendre du service, le jour où, sait-on jamais, la Création devrait repartir de rien.

Zeus réserve un châtiment particulier à Ménoetios. Il le désintègre d'un éclair de sa foudre toute fumante de sa dernière bataille. Quant à Atlas, il réalise son rêve d'union du Ciel et de la Terre. Il l'exile à l'ouest du monde, l'obligeant pour l'éternité à supporter la voûte céleste, avec les milliards d'étoiles qu'il s'apprêtait à ramener à l'état de poussière.

Cronos, destitué, est définitivement mis hors d'état de nuire. Chassé du Ciel, il a trouvé refuge sur la Terre. Dissimulé sous les traits d'un vieillard misérable, il erre. Portant une faux sur l'épaule, il tranche le cycle des êtres qui sont mûrs, les engloutit dans son ventre, et les couve, comme il a toujours aimé le faire, pour les ramener plus tard, dans la lumière d'un nouveau matin de vie.

4

Les nouveaux maîtres
charpentaient le monde

— Les vainqueurs se sont retirés sur l'Olympe pour se partager le monde, et je me suis bien gardé de me mêler à eux. J'ai contribué à leur victoire, mais je n'en attends aucun bénéfice. Je n'appartiens pas au clan des Cronides. Je ne suis qu'un allié par défaut, un cousin qu'il valait mieux avoir avec soi que contre soi. Je n'ai pas choisi le camp de Zeus pour le servir, mais pour mon propre intérêt, et je ne vais pas maintenant quémander un domaine à gérer pour l'aider à asseoir sa suprématie. Je regrette même que mon aide ait été trop visible. Mes talents ont pris tous les belligérants au dépourvu, et je crains que cela ne joue pas en ma faveur. Zeus est susceptible, arrogant comme tous les champions. Il n'aime pas qu'on lui fasse de l'ombre, et il n'accepte le génie des autres que s'il peut le détourner à son profit. Connaissant son orgueil, je suis sûr qu'il me provoquera dès qu'il en aura l'occasion.

J'ai donc quitté les plaines célestes pour la terre, immédiatement après la reddition des Titans. J'étais soucieux de l'état de mes créatures et j'avais hâte de les retrouver. Comment avaient-elles traversé la guerre, échappé aux ravages qu'elle avait causés ? Que restait-il des grands troupeaux humains que j'avais laissés, gambadant à la découverte de leur domaine dans l'enchantement de leurs premières émotions ?

J'en découvris de petits groupes, dissimulés dans des grottes, tapis dans des crevasses, où ils avaient construit des habitats sommaires pour se protéger contre le déchaînement des éléments. Leurs poils avaient poussé et formaient une toison qui protégeait leur peau. Ils étaient sombres, hagards, horriblement maigres.

La race que j'avais créée avait subi des dommages considérables, elle était au bord de l'anéantissement, à l'état de malheureux vestige, accrochée à la terre d'où elle était issue, mais elle demeurait vivante, obstinément, comme une greffe qui avait pris malgré un milieu épouvantablement hostile et qui, par sa seule présence, clamait sa volonté de poursuivre l'aventure. J'étais fier de mon œuvre, fier de mes enfants. Ils avaient fait preuve d'une résistance inattendue, d'une magnifique endurance. Et qu'ils aient su s'adapter au pire m'émerveillait par-dessus tout ! Cette faculté lumineuse qui empêche de s'abandonner à la nuit, ils l'avaient trouvée dans leurs cœurs, où je l'avais cachée. Le germe s'était développé. C'était mon héritage ! Ils étaient bien mes fils.

J'avais eu l'idée de faire cohabiter, à part égale dans un même sujet, une énergie masculine avec son homologue féminine, l'une équilibrant l'autre et permettant à chacun de se reproduire sans partenaire. Dès lors, où qu'il soit, un individu isolé pouvait se donner des compagnons, lesquels une fois mûrs, procréant à leur tour, avaient la capacité d'agrandir la famille. Dans la grande fournaise de la terre, sous les déluges de pluies interminables, au plus fort du chambardement, combien s'étaient retrouvés perdus, coupés de leurs pareils, en mal de présence, en mal d'enfant à bercer contre lui ? En s'inventant des semblables, mes hommes avaient vaincu le désespoir de la solitude, apaisé leurs angoisses, et les naissances compensant les décès, le cycle jamais interrompu des générations leur avait permis de traverser ces dix mille ans de notre guerre impitoyable en évitant l'extermination.

La vie, au sein de leurs minuscules cellules humaines, avait enrichi le nuancier de leurs expériences et de leurs sentiments. L'effroi jusqu'à la terreur y occupait une grande place, mais aussi l'entêtement farouche qui tient l'âme en éveil, la lueur tremblante de la conscience qui s'emploie à passer un relais.

Je parcourais la terre, je m'attardais parmi eux, et je les regardais s'acharner, résister. Leurs yeux, encore rudimentaires, ne pouvaient toujours pas me discerner, mais ils me sentaient, cherchaient de tous côtés, essayant de percer l'invisible pour déceler cette brume subtile qui s'infiltrait en eux, poussant de petits grognements excités avant de retrouver leur calme fruste lorsque je les quittais.

Ô enfants, pendant que vos parents du Ciel dévastaient l'univers, vos voix, inaudibles des hauteurs du monde, clamaient votre obstination à demeurer dans votre paradis, et vos mains puisaient dans vos cœurs ces poussières d'étoiles, tombées de l'espace, que vous répandiez sur la terre en semences scintillantes annonçant les civilisations à venir.

Mon prototype d'homme se révélait totalement pertinent, et mon projet de colonisation de la planète prouvait sa viabilité d'une manière éclatante. Je n'aurais pas pu rêver meilleure mise à l'épreuve que la Titanomachie.

*
* *

Pendant que Prométhée se préoccupe des siens, les nouveaux maîtres charpentent le monde et instaurent leur gouvernement, définissant les domaines où leurs pouvoirs s'exerceront. Nul n'échappe au Destin, et les dieux s'en remettent docilement à lui par tirage au sort. C'est ainsi que Zeus reçoit le ciel, Hadès les profondeurs souterraines de la terre, habitées par les ombres, Poséidon la mer, où il installe son palais, avec ses écuries de chevaux à la crinière d'or qui intimident les tempêtes. Les Cyclopes, inspirés par Gaïa, avaient bien anticipé cette organisation. Les armes qu'ils avaient forgées pour les trois frères, au plus fort de la guerre, resteront à jamais les emblèmes de leurs pouvoirs.

Le Destin a également pourvu les sœurs.

Hestia, l'aînée, première à voir le jour, et la dernière à y revenir après son engloutissement par son père, règne sur le début et la fin de toutes choses. Elle réside sur l'Olympe qu'elle ne quittera jamais et devient la gardienne du foyer. Elle y assure chaleur et sécurité. Quand les petits ouvriers de Prométhée commenceront à pulluler, tous l'imiteront.

Déméter hérite de la terre que l'on cultive. Elle devient la mère de l'orge, du blé et des semailles. Mère de la vitalité. Enfin, Héra veille sur le mariage, protège la fécondité, et poursuivra sans pitié l'adultère.

Toutefois, six dieux ne suffiront jamais à assurer le fonctionnement harmonieux du monde. Zeus en a parfaitement conscience. Ses frères et sœurs, sans hésiter, l'ont désigné pour assurer la direction générale des affaires, mais il aura beau avoir la haute main sur toutes les décisions, tout voir et tout connaître, il aura besoin d'être secondé, et pas par n'importe qui. Par des êtres de confiance, qui reconnaissent son autorité et lui soient totalement dévoués. Des fils, des filles.

— Une famille ! murmure Zeus. J'ai besoin d'une famille !

Ses yeux percent l'infini des étoiles, vers la lisière de la grande nuit où s'enracine son arbre de vie. Il pense à la branche dont il est issu : à son grand-père Ouranos, concepteur halluciné, à sa créativité débordante d'originalité, qui dressait des plans de l'univers sans se soucier un seul instant de les développer ; à son père, Cronos, maître de silence et de réflexion. Vieil archiviste sévère et taciturne.

En se remémorant ses prédécesseurs, l'angoisse le saisit. Il voit son grand-père, émasculé par son fils. Il revoit son propre père et son regard de haine quand il l'a destitué. Même canevas de génération en génération, même stratégie de coup d'État : le fils tue le père, s'empare de l'héritage et enrichit son œuvre.

— Et moi, lequel de mes fils à naître s'approchera par surprise, dissimulant une lame ou un poison, pour m'abattre ? À quoi bon se donner des fils dont les rêves d'indépendance, tôt ou tard, les retournent contre vous ? Ne vaut-il pas mieux des serviteurs que l'on contrôle en les flattant, en leur prodiguant des richesses ? À qui faire confiance ?

Il évalue les risques.

— Il n'y a que la puissance qui vaille, dit-il en caressant sa Foudre. La puissance et la Loi.

Finalement, il opte pour le moindre mal, la famille, construite avec soin, soudée. Mais avant de s'y consacrer, il assure ses arrières, distribuant fonctions et privilèges à ceux qui l'ont aidé, tel Océanos, resté neutre pendant toute la durée du conflit. Ses décisions sont justes, magnanimes. Attentif à ne pas se couper des forces qui pourront lui être utiles, il accorde même son pardon à ses tantes, les Titanides. En revanche, il reste inflexible avec ses oncles, les Titans.

Une fois cette grande décision prise, il se met à l'ouvrage en épousant Métis, sa cousine, fille d'Océanos, qui lui avait confié le vomitif pour Cronos. Elle est aussitôt enceinte.

— C'est une fille ! annonce Gaïa au père. Méfie-toi, car de cette fille naîtra un garçon qui t'éliminera. Fais ce que tu dois !

D'emblée, le Destin confronte Zeus à ce qu'il redoutait par-dessus tout, comme pour lui signifier que la menace du pire l'accompagnera tout au long de son règne. Pourtant, la Grande Mère, en l'avertissant, le protège. C'est lui, en effet, qu'elle juge le plus apte à diriger l'univers.

Métis, la Conseillère, première de ses nombreuses épouses. C'est une prudente, une perfide aussi. Elle cache ses intentions, trompe en souriant. Zeus sait qu'il ne pourra pas toujours l'avoir à l'œil, aussi pour se mettre définitivement à l'abri de ses ruses, il décide de l'avaler, à la Cronos, elle et la fille qu'elle porte ! D'une seule bouchée ! *Gloup !* Mais on n'attrape pas les mouches avec du vinaigre, et il doit cacher ses intentions. Il feint de s'extasier de ses dons pour la métamorphose, s'étonne, se passionne, et la presse de lui offrir une démonstration.

— Étonne-moi, délicieuse ! Révèle-moi tes charmes ! J'en rêve !

Elle, supposant un jeu d'amour, se change aussitôt en serpent. Oh ! Puis en grand herbivore des plaines. Ah ! Puis en nuée du ciel, en monstre aveugle… C'est une revue de toutes les merveilles de la Création qui se prépare.

— Et en goutte d'eau ? la taquine Zeus. Trop compliqué. Je suis sûr que tu ne pourras jamais !

— Facile, au contraire ! s'esclaffe-t-elle. Regarde ! *Pfiout !* Perdu, ma jolie ! Zeus l'engloutit et conquiert d'un trait les qualités de l'Océanide : la ruse, la prudence et la perfidie ! Mais il n'a pas le temps de se féliciter que des convulsions le saisissent, une migraine plus violente que les marteaux des Cyclopes lui fracasse la tête. C'est la fille qui demande à naître !

— À l'aide, quelqu'un ! s'écrie Zeus, en s'écroulant. Prométhée !

Pourquoi appelle-t-il Prométhée ? Il n'a même pas cherché à le rencontrer après la bataille, ne lui a manifesté aucune gratitude. Trop tard, ce que Zeus dit ne peut être dédit, même par lui. Prométhée l'a entendu. Il est en route déjà, et le voilà à ses côtés. Il considère le roi de l'Olympe qui se tord de douleur, à sa merci pour ainsi dire. Il lui serait aisé d'en profiter, mais à quoi bon ? Prométhée ne s'attarde pas à ces considérations. Le pouvoir ne l'intéresse pas, ni la gloire des rois. Il n'a aucun goût pour ces hochets. Il mène sa course en solitaire, à l'écart des dieux. Il règne ailleurs, sur la matière inerte qui attend une œuvre, sur l'invisible qui fourmille d'itinéraires vers l'avenir. Il est un créateur, un façonneur de vie. Pas un politique, encore bien moins un gestionnaire. Il tient de son grand-père Ouranos, sauf qu'il a inventé les hommes, la plus belle fleur de la Création.

Il se penche sur Zeus qui souffre le martyre, l'accouche d'un coup de hache sur le crâne, et libère la fille qui demandait à sortir de la tête de son père. Elle apparaît toute cuirassée, casquée, armée d'un glaive et d'une javeline. Elle pousse un cri terrible de conquérante qui force la victoire et appelle les héros à sortir de leur sommeil. Elle est jeune, elle est belle, c'est un chef-d'œuvre, une reine du Ciel aux yeux de lumière ! Elle s'appelle Athéna. Éblouie, elle voit Prométhée qu'elle prend pour son père. Le Titan comprend la méprise et, d'un geste, lui désigne Zeus qui se relève. Mais leurs regards se sont croisés, et Prométhée, qui l'a fait naître, demeure sa première vision du monde. Elle lui lance un salut enthousiaste, comme annonçant un pacte avec lui, puis s'éloigne vers l'Olympe pour régner sur la Sagesse.

En secondes noces, Zeus épouse Thémis, la Titanide, sa tante, et donne naissance à Discipline, Justice, et Paix[1], puis au Destin[2] qui offre à chacun sa part de bonheur et de malheur.

Avec sa sœur Héra, il crée Jeunesse, les Guerriers mâles et Destruction.

Uni à sa tante Mnémosyne, il libère les harmonies de l'univers en sculptant les neuf voix des Muses.

---

1. Les Heures.
2. Les Moires (les Parques des Romains) : Atropos (*Celle qui ne peut être évitée*), Clotho (*la Fileuse*) et Lachésis (*Celle qui mesure*).

S'accouplant avec sa cousine Léto, voici encore les jumeaux Artémis et son frère Apollon.

Enfin, avec une fille d'Atlas, il engendre Hermès, le trois fois grand aux pieds légers, capable de voyager au Ciel, sur la Terre, et de traverser les Enfers sans s'y perdre.

Entraînée dans ce tourbillon de conceptions, Héra, sans l'aide d'aucun mâle, met au monde Héphaïstos.

Puis Arès le guerrier, fécondant une fille d'Atlas, apporte sa contribution avec deux nouveau-nés qui lui ressemblent : Panique et Épouvante[1].

Le roi du monde s'établit. Quand cette première période de son règne s'achève, tous ses enfants occupent des postes clé, et sa crainte de voir l'un des siens se rebeller contre lui s'estompe.

La vieille Gaïa se tait. Elle a regardé son petit-fils étendre son emprise, satisfaite de la tournure que prennent les choses. Pourtant, une aigreur la mine. Les Titans, ses fils bien-aimés, demeurent incarcérés par leur vainqueur, muré dans une sévérité impassible. Aussi décide-t-elle de le mettre à l'épreuve.

----

1. Phobos et Déimos, qui ont donné leurs noms aux deux satellites de la planète Mars.

5

Fils de sang,
les Géants se préparent à la guerre

Gaïa entre en fureur. Elle est l'épouse d'Ouranos. Elle a accueilli le Ciel en elle, s'est laissée inonder par sa lumière. La déflagration de leurs amours a enflammé l'univers, libéré la fécondité, et, depuis, la vie n'a cessé de se répandre, d'élaborer des formes, de conquérir l'infini. Aujourd'hui, Gaïa renonce. Après l'illumination, elle se tourne vers la ténébreuse noirceur où mugissent la violence et la bestialité. Elle se laisse entraîner par ses gouffres à l'opposé de l'éther et s'abandonne à la tentation d'Abîme, qui monte la garde à ses lisières depuis la première heure, toujours disponible pour le pire.

Pour une seule race de ses enfants, la Mère oublie toutes les autres, et réveille les Géants abjects, nés des dernières gouttes du sang d'Ouranos, lorsque son membre viril s'est fracassé sur le sol. Une union primitive avec la Terre, souillée par la haine du créateur déchu, par ses regrets, ses désirs de vengeance. Fils de sang, les Géants, depuis cet instant, se préparent à la guerre dans toutes les cavités de Gaïa, qui tremblent du choc de leurs duels. Bardés de vigueur et de jeunesse arrogante, éclatants sous leur tignasse hirsute, ni enfants ni adultes, ils attendent une mission qui les appellera au grand jour.

D'origine divine, ils sont pourtant mortels. C'est le seul défaut de leur cuirasse, mais facile à réparer, car Gaïa dissimule, dans certains replis de son ventre, une plante rare, une herbe d'immortalité capable de rendre éternels ceux qui la consomment. Zeus connaît l'existence de cette médecine. Elle représente pour le monde qu'il veut construire une menace pire que celle des Titans. Ceux-ci voulaient un retour au chaos ; un moindre mal. Les Géants, eux, prendront inéluctablement le contrôle de la Création une fois immortels, lui imposeront leur révolte barbare, balayant pour longtemps tout espoir d'harmonie. Le monde sera alors la proie d'une perpétuelle virulence.

C'est pourquoi, aux premiers signes avant-coureurs de la menace, Zeus contre-attaque en imposant un couvre-feu absolu au Soleil, à la Lune et à l'Aurore. Dans les ténèbres qui s'abattent, le grand dieu se hâte. Il arpente la terre de son pas électrique, herborise dans la rosée qui suinte, moissonne impitoyablement chaque touffe, chaque brin, extirpant les racines du danger, stérilisant chaque emplacement d'une décharge de sa foudre, et, une fois sa récolte achevée, l'incendie avant d'en disperser les cendres dans l'espace où elles disparaissent en sifflant vers l'infini.

Dans l'aube qui se lève enfin, Gaïa, exaspérée que Zeus ait percé ses intentions, se dilate alors de toutes ses béances et libère les Géants qui s'extirpent d'elle en grondant. C'est un accouchement monstrueux d'êtres terrifiants, une libération de forces de destruction, la grimace cynique de la haine aux promesses de la vie. Ils sont vingt-quatre, sculptés dans le bronze, lourds, prêts pour le combat, et leurs chevelures plus vastes que des forêts dégoulinent de rivières souterraines remontées à la surface. À peine nés, ils se déchaînent, enflamment des arbres qu'ils jettent en javelots vers le soleil, arrachent des montagnes, les empilent, et montent à l'assaut de l'Olympe. Sous leur poids, l'escalier branle et s'écroule. Ils le redressent, repartent à l'attaque, déployant une énergie irrésistible.

Zeus et Athéna se portent immédiatement face à la meute, vite rejoints par Poséidon, Hadès, Héra, Déméter outrée, et le reste de la famille. Mais, en dépit des coups portés, des blessures, les ennemis abattus se redressent, leurs membres fracassés dans leur chute se régénèrent si, par chance, ils touchent le sol de leur pays natal. Ils ont beau être mortels, les dieux, malgré leur toute-puissance, ne peuvent les tuer ! Ils ne sont pas taillés dans la même étoffe. Ils sont vapeur exhalée par la bouche d'ombre du néant, nuées condensées par l'éclosion de la lumière, particules libérées par l'énergie des rêves en attente dans les pulsations du temps. Ils ne connaissent ni la matière grumeleuse, ni le cauchemar poisseux, ni la rumeur sourde martelée par la nuit qui hache le souffle et porte la panique. Ayant toujours fréquenté les hauteurs, les Esprits ne connaissent rien de l'ardeur qui pousse à se détacher du socle, à gravir, à s'élever. Les dieux ont beau être dieux, il leur manquera toujours de ne pas avoir été hommes !

— Les hommes ? Qu'ils viennent me montrer de quoi ils sont capables, ceux-là ! s'écrie Zeus. Prométhée, où les as-tu cachés ?

Prométhée, qui n'est pas concerné par les soucis des Olympiens, se tient à l'écart, mais puisque son cousin l'appelle, il ne se fait pas prier. Il arrive.

— Qu'est-ce que tu veux ?

— Tes hommes ! Apporte-les ! Jette-les dans la bataille. J'ai besoin d'eux pour vaincre.

— Impossible ! Ils ne sont pas prêts. Ils n'ont même pas conscience de notre dimension. Ils nous discernent à peine. Laisse-leur du temps.

— Je n'en ai pas ! Tu les as pétris. Ils sont de la même terre que les Géants. Trouve une solution. Ils sont parents.

— Oui, parents ! Mais comme le jour et la nuit, le bien, le mal… Seulement de la même souche : et leur parenté s'arrête là. Quand les Géants t'escaladent par la face nord de la violence, les hommes devront inventer d'autres itinéraires pour t'atteindre. Ne précipite pas les choses. Ils mûrissent.

Prométhée se tait, songe à ses fils, et, abandonnant le fracas aux combattants, se laisse absorber par une vision. Une voie de conquête du Ciel lui apparaît, qui exclut la force brutale. Une voie de recherche et de ferveur, où la nostalgie de l'infini incite à relever tous les défis. Une aspiration pareille à celle d'un gouffre, où se laissent entraîner les téméraires qui acceptent d'affronter la peur. Ils sont quelques poignées à s'y engager. Ils sont frêles, pacifiques, décidés à n'en découdre qu'avec eux-mêmes, si peu nombreux comparés à la multitude, des êtres de feu. Et dans le groupe de tête, loin devant les autres, plus vaillant que les vaillants, un éclaireur s'emploie à repousser toutes les limites. Il est brillant, il est unique.

— Prométhée, ils sont en train de nous déborder, et tu rêvasses ! hurle Zeus entre deux salves de foudre. Tu l'amènes, cet homme, ou bien ? Qu'est-ce que tu attends ?

Prométhée perçoit à peine les imprécations de son cousin. Il est occupé à lui préparer ce qu'il demande et ne se déconcentre pas pour lui répondre. De la même manière que lors de l'engagement contre les Titans, il capture l'image de ce héros étincelant qu'il voit illuminer le futur, puis il en tire un prototype.

Pendant ce temps, la première ligne des assaillants s'est rapprochée. Effroyables de vigueur, portés par les écheveaux de serpents grouillants qui musclent leurs jambes, les Géants font preuve d'une agilité insoupçonnable. Rien ne les arrête. Ils sont emmenés par Alcyonée, qui pousse des braiements caverneux. Proche du sommet de l'Olympe, il s'apprête à y bondir lorsque surgit un archer. Son arc est armé, il décoche au jugé. Sa flèche enduite de poison siffle. Entre l'archer et la cible, une seule trajectoire possible. Malgré sa souplesse, l'ennemi n'est pas en mesure de l'éviter. Le trait lui perfore la tête et le fait basculer dans le vide.

— Voici l'homme ! s'écrie Prométhée. Il n'est pas encore né. C'est ton fils, Zeus ! Le meilleur. Un champion de l'humanité. Il s'appellera Héraclès !

Mais au pied de la pyramide de montagnes où il s'est fracassé, Alcyonée retrouve déjà ses esprits, se redresse et s'apprête à remonter au combat, ressourcé par sa terre de naissance.

— Héraclès, rejoins-le ! hurle Athéna. Capture-le et emporte-le sur un continent étranger !

Le Héros dévale du ciel aussitôt. Alcyonée, pris de court, le voit fondre sur lui, la massue levée. Encore sonné par sa chute, il hésite. Trop tard : il reçoit un coup à pulvériser un âne, et chancelle. Héraclès le cueille dans sa chute, le charge sur ses épaules et l'emporte loin de Grèce où il meurt, privé des soins de sa terre nourricière.

Cette première mort marque un tournant. Les Géants restent décontenancés un instant, puis la lutte reprend, plus hargneuse, vengeresse. Dans le camp opposé, les dieux s'enthousiasment d'avoir reçu l'allié qui leur manquait. Néanmoins, leurs adversaires ne cèdent rien, multiplient les harcèlements, recherchent l'affrontement corps à corps. Le répit des Olympiens est de courte durée. Une nouvelle phalange de Géants les assaille. Un forcené se jette en avant, canardant les dieux d'une mitraille de rochers. C'est Éphialtès, le *Cauchemar*. Apollon tente de l'arrêter d'une flèche qui lui crève l'œil gauche. Mais le démon poursuit sur sa lancée, prêt à écraser le jeune dieu qui n'a pas eu le temps de réarmer lorsque soudain, Héraclès, déjà de retour, s'interpose et bande son arc à une seule courbure. Il tire et fait mouche. Sa flèche transperce la trogne du géant, pénétrant par l'œil droit, et ressort à travers l'occiput, arrachant un buisson de cheveux agglutinés par la cervelle. C'est fini. Sous les coups du dieu et de l'homme, Éphialtès ne peut plus rien. Il tombe sans un cri. Il est mort !

Deux adversaires au tapis, coup sur coup ! Les dieux, sidérés, découvrent les qualités incomparables d'Héraclès et s'engagent alors dans la lutte, main dans la main avec lui. Un véritable partenariat, où le premier coup est porté par un immortel, et le second, décisif, par le mortel. Dans ce combat où les dieux et les hommes travaillent au coude à coude, le dernier mot revient toujours à l'homme !

Athéna est à la peine. Porphyrion, pour venger la mort d'Alcyonée, s'est jeté sur elle et tente de l'étrangler. Il est blessé au foie par une flèche d'Éros : la folie haineuse du monstre explose en désir fou. Il délaisse Athéna et, dévoré par un feu d'amour, se précipite sur Héra, la plaque au sol en lui arrachant sa robe. La déesse a beau se débattre, elle est impuissante face à cette masse de muscles et de serpents qui s'apprête à la violer. Mais Zeus voit sa femme en mauvaise posture. Il pointe ses éclairs et foudroie l'agresseur.

— Héraclès ! appelle-t-il en s'écartant. Achève-le !

Héraclès, sur tous les fronts et toujours disponible, tire un nouveau trait, et met Porphyrion définitivement hors d'état de nuire.

Héra se relève. Elle est sauve. Avant de replonger dans la mêlée, elle adresse à Héraclès un signe que le héros ne peut pas comprendre. Une sorte d'acquiescement, en prévision de leurs retrouvailles futures, car tous deux se reverront, plus tard, dans cent mille ans, quand l'heure sera venue. Elle le sait. Il l'ignore[1].

Les Géants tombent les uns après les autres. La présence d'Héraclès transcende l'énergie des combattants.

---

1. Voir *L'Épopée d'Héraclès, le héros sans limites*, même auteur, opus cité.

L'avantage change de camp, d'autant que des renforts viennent gonfler les rangs des Olympiens. Styx, la *Détestée* rivière des Enfers, arrive, accompagnée de ses quatre enfants : Zèle, Victoire, Pouvoir et Vigueur[1].

Toujours à l'extérieur de la partie, Prométhée observe l'évolution de la guerre. Sans son intervention, sans l'entrée en lice de son joker, les Olympiens, inéluctablement, auraient fini par mordre la poussière. Son aide, plus encore que dans le conflit contre les Titans, se révèle déterminante, et il sait bien que cela n'arrange pas ses relations avec son ombrageux cousin, qui n'aime rien devoir à personne. Il perçoit déjà la contrariété de Zeus, dans sa façon d'assener les coups, de prévenir les attaques, d'encourager ses troupes, alors que les autres dieux, bien trop occupés par leurs adversaires, ne se doutent de rien. De tous côtés, ils appellent Héraclès à la rescousse, dès qu'ils ont abattu un Géant, pour qu'il l'empêche de se relever. Le héros court, se multiplie, offre son aide à Hécate dont les torches ont enflammé le corps de Clytios, à Héphaïstos qui a vidé une cuve de plomb fondu dans la gueule grimaçante de Mimas, ou à

---

1. Zélos, Nikè, Cratos et Bia.

Dionysos encore, qui distribue des coups de son redoutable thyrse[1] comme s'il en pleuvait. À chaque sollicitation, Héraclès survient, fait vibrer la corde de son arc, trembler l'olivier de sa massue, et met un point final au duel.

C'est la débandade chez les Géants. Ils ne vaincront jamais les dieux. Les rescapés désertent le ciel et s'enfuient, cherchant une retraite sur la terre. Les dieux se lancent à leur poursuite, déterminés à leur faire payer leur révolte au prix fort. Aucun n'en réchappe. Encelade, l'un des derniers survivants, est rattrapé par Athéna, impitoyable, qui l'écrase sous un des énormes projectiles qu'il avait jeté contre l'Olympe. Sa carcasse demeure sur place. C'est la Sicile. Polybotès, lui aussi, termine sa vie enterré sous une île, enseveli par Poséidon.

Tous disparaissent, massacrés, et, lorsque les hommes jardineront la terre, des paysans découvriront, en labourant le sol, des os gigantesques, derniers vestiges des Géants, preuve indubitable que cet affrontement terrible, qui faillit renverser la nouvelle

---

1. Attribut de Dionysos, formé d'une baguette surmontée d'une pomme de pin.

génération des dieux pour instaurer le règne de la violence, a bien eu lieu, et que l'univers a tremblé.

Peu à peu, le calme revient. Les immortels retrouvent l'Olympe, forts des fraternités qui se sont développées pendant le combat. La lutte a resserré leurs liens. Le grand artisan de cette victoire, Héraclès, a disparu, le dernier coup porté, telle une lampe qui s'éteint. Retour à la nuit des temps, il a aussitôt perdu la mémoire. Il ignore que ce premier grand exploit contre la barbarie est le prélude à ses futurs Travaux, qui relieront d'une voie directe la Terre au Ciel.

Les dieux lui sont redevables à jamais.

6

Typhon

Dans l'Olympe, les vainqueurs pavoisent et chantent en raillant les vaincus. Pendant ce temps, Gaïa, sombre, rumine sa défaite. Son plan a échoué et la situation des Titans n'a pas changé. Toujours incarcérés, ils continuent de subir la vindicte de Zeus pour qui l'heure du pardon n'est pas encore venue.

— Ne l'ai-je pas trop favorisé ? se demande la Mère. Est-il vraiment le Créateur que l'univers attend ou seulement un opportuniste habile ? Il ne manque pas de qualités, mais les Géants ont révélé ses failles. Sans l'aide d'Héraclès, il était balayé, et Prométhée lui a bien sauvé la mise. Que vaut-il face à l'absolu ?

Pour en avoir le cœur net, Gaïa décide de le confronter à une puissance qui le dépasse. Bien qu'âgée, l'aïeule peut encore enfanter. Son corps est déformé par les maternités, certes, mais elle se sait toujours capable de susciter le noir désir d'un grand mâle. Et c'est un sauvage qu'elle veut pour partenaire, doté d'une hérédité saturée par une haine viscérale de la vie, un cloaque pollué par des rébellions hurlantes : le Tartare ! Il est le reproducteur le mieux adapté à la créature dont elle rêve pour éprouver le jeune chef des dieux.

— Il va falloir que tu te sortes les tripes, petit ! grogne-t-elle en s'enfonçant dans ses profondeurs à la rencontre de son amant.

C'est en elle qu'il réside, là où parvient le souffle livide de l'Abîme. Tartare flaire l'approche de la Mère. Son fort parfum d'humus déferle vers lui et trouble ses sens. Visite solennelle. Il sait à quelles noces barbares elle vient le convier et il se prépare à l'honorer. Elle se tient là soudain, invisible, mais toute de présence. Lourde, vibrante. Elle l'enveloppe alors, comme on capture, il l'envahit à son tour, et ils se mêlent dans une étreinte rageuse, sans autres préliminaires. Pas d'amour entre eux, ni de chatteries, mais des visions de désastre et de cruauté pour alimenter le bain nourricier de l'embryon. Celui-ci, aussitôt conçu, moleste déjà le ventre maternel, rue, réclame sa liberté, et lorsqu'il naît dans une caverne de Cilicie, il stupéfie sa mère. Il est terrifiant.

Quand les géants avaient besoin d'empiler les montagnes pour atteindre le ciel, il lui suffit simplement, à lui, de se tenir debout. Ses pieds griffus l'enracinent dans le sol, pendant qu'à l'autre extrémité, sa gueule d'âne, pourvue d'une langue noire, brait en soufflant le poison de son haleine sur les étoiles. Son corps de reptile, équipé de membres et d'ailes, peut agripper, d'un bras et de l'autre, la chevelure du soleil, au levant comme au couchant, ceinturer l'univers entier, dérouter les planètes. Cent têtes de dragons, toutes dotées de voix différentes, hérissent ses mains. Elles rugissent, miaulent, pleurent, imitent le ravage des séismes, rient, chantent, attirent la pitié par des plaintes désespérées ; trompeuses, calculatrices, elles sont capables de reproduire le langage du moindre vivant. Et dans sa poitrine, son cœur, protégé par un enchevêtrement de serpents ventrus, martèle un rythme lancinant qui cherche à s'imposer à la pulsation du monde.

Tel est Typhon, au souffle brûlant. Fils de Gaïa et du Tartare, monstre implacable de sauvagerie, véritable ennemi de l'esprit.

Quand ils le découvrent, les dieux, effarés, n'ont qu'une idée : fuir ! Ils traversent la mer et émigrent vers l'Égypte, métamorphosés en animaux ! Qu'importent leurs privilèges et leur pouvoir. Qu'importent leurs places préparées de longue date par leurs ancêtres, et la Création façonnée au prix de tant de patience et de tourments. C'est la débandade ! La brillante jeune génération ne pense qu'à sauver sa peau ! Seuls, Zeus et son incorruptible Athéna affrontent le colosse. Le père, au moyen de sa foudre, dont les salves jettent la panique au milieu des serpents, répandant une effroyable puanteur de reptile grillé ; la fille, par sa vertu farouche, qui la rend invulnérable aux éclairs lancés par les yeux de la bête. Intrépide, elle monte à l'assaut de cette forteresse de bestialité, s'impose, dressant son glaive de justice, combattant au nom de la raison et de la beauté. À chacun de ses coups, elle égrène dans un hurlement la litanie des ennemis à terrasser :

— Intimidation ! Violence ! Terreur, barbarie ! Ignorance, veulerie, paresse de l'esprit...

Elle pourfend comme on laboure une terre de ténèbres, avant d'y semer sa lumière.

Surpris par la pugnacité de la déesse et sa fraîcheur inaltérable, ébranlé par les ripostes du dieu, Typhon titube, recule pour se rassembler et fondre sur ses assaillants. Mais Zeus ne lui en laisse pas le temps. Il s'élance sur lui, l'enserre, le mitraille à bout portant, en dépit des milliers de serpents aux crocs suintants qui l'entravent dans leurs anneaux. L'ennemi bat des ailes, parvient à s'envoler, son adversaire accroché à son ventre, jusqu'aux confins de l'Arabie, sur le mont Casius. C'est là que Zeus saisit la serpe de silex affûtée par Gaïa, celle qui avait permis à Cronos de détrôner Ouranos, et qu'il abat le fils avec cette arme cosmique conçue jadis par la Mère. Typhon hurle, et sa douleur fait vaciller le ciel. Il feint d'être touché à mort, et lorsqu'il voit Zeus, croyant avoir partie gagnée, relâcher sa vigilance, il l'empoigne, lui arrache sa serpe, lui tranche les tendons des mains et des pieds qu'il dissimule dans une peau d'ours, lui dérobe sa foudre puis, le jetant comme une loque sur ses épaules, l'emporte en Cilicie, dans la caverne où il a vu le jour, et l'enferme sous la garde de Delphyné la dragonne.

Prisonnier, coupé de ses énergies, impuissant, l'immortel n'a plus que l'apparence d'une petite divinité de dernière classe. Il n'entend plus chanter les sources du ciel. Inerte, pantelant, il pense au monde à la merci de Typhon, à l'armée de primitifs qui va naître de lui pour se déployer, verrouiller toute évolution, au désastre qui menace. Comment Gaïa, qui a tant donné d'elle-même pour faire ruisseler la vie, peut-elle vouloir tout effacer ? Que veut-elle qu'il comprenne et qu'il n'entend pas ?

— Tu m'as soutenu, favorisé, élevé au sommet, pourquoi ? lui demande-t-il, comme si elle veillait à ses côtés. Me faire chuter de plus haut ? Me ramener à rien ?

Il songe au travail qui l'attend. L'univers est au point mort. Il s'apprêtait à lui donner un nouvel essor et, dans l'ankylose qui commence à envahir toute chose, se glisse l'image de sa famille dévastée à la première bourrasque. Et dire qu'il la rêvait citadelle de confiance ! Quelle dérision ! Même Hadès, même Poséidon, ses frères, les piliers… Seule Athéna, la pure, a résisté.

— Faut-il, après avoir tout conquis, accepter de tout perdre ? Se tenir prêt, à chaque instant, à tout reconstruire ? Accepter que rien ne soit jamais acquis, même quand on façonne l'immensité ? L'équilibre du monde est une buée.

La reptation lourde de Delphyné ponctue ses songes, pendant que Typhon, au-dehors, repu de sa victoire, s'est affalé sur la terre et ronfle.

Au même instant, les Olympiens, consternés par la capture de leur chef, se sont remis de leur égarement. Certains d'entre eux mobilisent toutes les divinités qui ne veulent pas voir tomber la Création sous la tutelle des forces de régression, d'autres parcourent la terre à la recherche de Zeus. Hermès, le plus vif, qui s'est ressaisi le premier, est déjà en chemin. Pan, le démon velu, à corps d'homme et de bouc, l'accompagne. Il déteste depuis toujours le faste des godelureaux de l'Olympe, mais Zeus est son frère de lait. Ensemble, ils ont tété les mamelles d'Amalthée, en Crète, mangé le miel d'or distillé par les abeilles du mont Ida. C'est dans cette humilité rustique que Zeus a fait ses premières armes de guide de l'univers, en devenant berger, et c'est au nom de leur enfance que Pan déploie toute sa science de la nature, pour le secourir. Hermès, aux pieds ailés, le précède et écarte les obstacles devant eux.

L'instinct de Pan les conduit en Cilicie, où ils découvrent bientôt la grotte. À l'extérieur, la masse avachie de Typhon empuantit l'atmosphère ; à l'intérieur, la gardienne, en alerte, a perçu le danger et s'approche de l'entrée en soufflant. Mais les deux intrus parviennent à pénétrer dans la geôle. Zeus est là, gisant, inerte, et Pan, avant que la dragonne ait pu cracher son feu, lance son cri terrible qui porte la panique. Delphyné, paralysée, est aussitôt assaillie par le démon, qui arrache de son cou l'étui en peau d'ours où sont cachés les tendons, s'empare de la serpe et de la foudre. Pendant ce temps, Hermès récupère Zeus dans ses bras et l'évacue. Typhon, à peine sorti de sa torpeur, se dresse enfin sur ses pattes pour constater qu'il a perdu son prisonnier.

Il se lance à sa poursuite, mais Zeus, profitant de son avance, ressoude ses tendons avec l'aide de ses deux sauveteurs. Instantanément, il retrouve ses forces. À nouveau relié aux énergies du ciel, tout son être étincelle et fulgure. Un embrasement immense enveloppe Gaïa et se propage comme un signal, annonçant que le maître est de retour, qu'il a repris le contrôle et n'a pas dit son dernier mot. Typhon, qui rattrape les fuyards, hésite, aveuglé par la déflagration de clarté qui se répand dans l'univers, et Zeus, déchaîné, profite de son indécision pour déverser sur lui une tourmente d'éclairs. Typhon prend feu de toutes parts, grille, les serpents de sa poitrine s'enflamment comme des torches, crépitant et craquant. Le monstre perd pied, bat en retraite, cherche un refuge pour se cacher et reconstituer ses forces. Zeus le pourchasse. Une traque interminable commence, celle de l'harmonie déterminée à éradiquer toute menace d'anarchie.

Une guerre totale, sans merci, embrasse toute la Création, qui voit le grand Olympien baliser sa reconquête, en imprimant sa marque profonde dans chacun des lieux où il affronte la bête. La famille divine, maintenant reconstituée autour de son chef, apporte son soutien et déploie une ardeur qui fait oublier son désarroi passé. Les enfants de Styx sont aussi présents, et de tous les combats. Zèle et Victoire, Pouvoir, Vigueur harcèlent, aiguillonnent, se dépensent sans compter. Mais le monstre est coriace, et si les forces de lumière lui sont supérieures, leur avantage n'est jamais décisif.

C'est dans cette incertitude que les Moires se décident enfin à prendre parti pour les dieux, entrant à leur tour dans le conflit. Ce sont des alliées de choix, car elles ont pleine autorité sur le cours de la vie, même des plus grands. À Typhon, qui peine à reconstituer ses forces, elles indiquent un fruit magique, à la fois médecine et poison, qui a la propriété de conférer une puissance inaltérable lorsqu'on l'a consommé. C'est un piège, et le lourdaud s'y fracasse. Il trouve l'arbre miraculeux, caché sur le mont Nysa, s'empresse d'en dévorer toutes les baies, ignorant qu'il se goinfre en réalité d'une nourriture éphémère. Ses forces, au lieu de devenir incorruptibles, s'affaiblissent soudain comme tous les trésors périssables. Il éprouve des sensations inconnues : la fatigue, la faiblesse, l'accablement. Les montagnes, qu'il lance désormais avec peine, lui reviennent en pleine face, renvoyées par la foudre de Zeus. Il perd pied soudain, et le doute l'assaille. Peu à peu, la certitude qu'il ne pourra jamais vaincre ses ennemis, jamais conquérir l'Olympe, s'insinue en lui, le gagne et le tétanise. Profitant de sa dernière vigueur, il décide de se donner une descendance. S'il vient à disparaître, ses enfants continueront ainsi à faire prospérer le mal brutal, l'horreur visqueuse, dépourvue de raison, ennemie résolue de l'amour. Il s'empresse de regagner sa terre de naissance, la Cilicie. C'est sur les lieux de son commencement qu'il veut concevoir sa succession. Dans une caverne proche de celle où il est né, demeure un femelle monstrueuse, moitié nymphe aux belles joues, moitié serpent terrible, mangeuse de chair crue. Le moule parfait pour les cadeaux qu'il veut offrir à l'avenir. La future mère s'ouvre à lui dès qu'il paraît, le désire, l'attire en grognant, et la violence de leur accouplement se répand comme un venin dans les anfractuosités du sol.

Leur premier né est un chien à deux têtes, Orthos, qui veillera sur les troupeaux de Géryon. Puis viennent Cerbère, le chien tricéphale à l'échine grouillante de serpents, portier des Enfers, L'Hydre de Lerne, conçue pour empoisonner la vie, et Chimère. Quatre anomalies qui enfanteront à leur tour. Nouvelle génération de fauves, parmi lesquels, maître d'arrogance, le Lion de Némée. Tous accompliront la volonté de leur père, semant la terreur, provoquant les héros[1] pour éprouver leur courage.

Typhon, pendant qu'il procrée, s'offre tout entier à sa femelle et se fait oublier. Il veut submerger le monde sous une armée de descendants grouillants, griffus, difformes. Mais ses rabatteurs finissent par retrouver sa trace, et la course reprend. La meute ne le lâche plus. C'est l'hallali. Le gibier n'a qu'une idée en tête, échapper à ses poursuivants. Il tente de les distancer en traversant la mer de Sicile, mais il n'est plus de taille, il perd du terrain, s'épuise. Zeus, qui le talonne, cueille l'Etna au passage de l'île, afin de l'utiliser comme une massue pour abattre son ennemi et enfouir le mal. Incapable d'amortir les coups, Typhon, sonné, renonce peu à peu, abandonne la bataille et se laisse ensevelir dans les sous-sols de la terre.

Quand il reprend vigueur, il est trop tard. Zeus l'a neutralisé à jamais. Il gronde, fulmine, se débat en dégorgeant de noirs tourbillons de rage, éructe des

---

1. Héraclès, Bellérophon...

imprécations brûlantes, à la recherche de sa grandeur perdue. Récriminer, maudire son vainqueur, c'est tout ce qu'il lui reste. Les désastres de cendres et de lave qui montent des profondeurs et répandent la misère seront dorénavant pour les mortels.

7

Zeus, vainqueur !

Gaïa se tait. Elle écoute le tumulte refluer par vagues lourdes. Une clarté se lève, encore brumeuse. Le monde s'éveille avec lenteur, rénové, prudent, comme un lutteur qui retrouve ses sensations, effaçant ses contusions au lendemain d'un rude combat.

— Zeus a fait ses preuves, murmure la Mère. Il attire à lui, entraîne, manœuvre. Il suscite la confiance et sait se faire aimer. Le monde lui appartient, désormais.

Titans, Géants, Typhon, tous sont neutralisés. Bataille après bataille, l'héritier a protégé le domaine qu'il avait reçu, érigé autour de lui une barrière infranchissable, le plaçant durablement à l'abri des nuisances. Le mal demeure néanmoins, bien vivant, et ses pourvoyeurs sont toujours vigoureux, mais les immortels en sont à jamais préservés. Désormais, les risques de corruption et de ravages, les cauchemars, les remontées d'Enfer qui glacent le cœur et désagrègent la volonté sont renvoyés vers la Terre. Les malheurs seront le lot des mortels qui l'habiteront.

Zeus, qui a renforcé sa position à la tête des dieux, sort grand vainqueur de toutes ces empoignades, avec un atout majeur sur les membres de son clan. À l'exception d'Athéna, il est le seul à n'avoir jamais plié devant le danger. Tous les autres ont perdu pied quand la gueule de l'Abîme les a mouillés de son haleine de givre. S'ils ont bien racheté leur égarement, celui-ci demeure, car l'univers archive tout. La moindre tentation, la plus infime intention restent à jamais consignées dans les cristaux de sa mémoire, et Zeus en a désormais la clé.

— Gaïa a-t-elle voulu me nuire ou me servir ? se demande-t-il, réfléchissant sur le futur. En m'exposant au pire danger, elle ne pouvait pas me rendre plus grand service. Soumettre au feu de l'épreuve, c'est sa manière particulière d'aimer. La Mère offre à chacun ce qui le révélera à lui-même, et personne ne doit faire exception à cette loi.

C'est pourquoi, peu après, quand la fête organisée pour célébrer la victoire bat son plein dans les jardins de l'Olympe, il prend la parole et promulgue son premier décret de maître du monde :

— Nous sommes sous la tutelle du Destin, déclare-t-il. C'est la moindre des obligations car, tout immortels que nous soyons, nous ne sommes que des émanations, de simples conséquences nées du grand embrasement de l'Esprit. C'est pourquoi nous ne pouvons pas agir selon notre plaisir. Nous avons un rang à tenir, des devoirs à respecter à l'égard de la Création. Aussi, nous allons tous lui prêter serment de fidélité, sur l'Eau de nos origines.

Il ordonne à Iris, sa petite messagère aux ailes diaphanes, de descendre aux Enfers recueillir dans une aiguière d'or l'eau de Styx, la plus terrible des filles d'Océanos, la remerciant ainsi officiellement de l'avoir soutenu dans sa lutte contre les Géants.

Lorsqu'un arc-en-ciel se pose sur l'Olympe, Iris est de retour. Tous les dieux, à tour de rôle, jurent solennellement de ne jamais déshonorer, ni en actes ni en pensées, la loi d'expansion de l'univers. Cette eau première, remontée des Enfers, leur rappelle qu'à chaque instant ils sont en équilibre entre le meilleur et le pire.

— Celui qui ment, celui qui se parjure sera puni ! déclare Zeus. Pendant un an, il restera inerte, privé du Souffle divin, errant parmi les mondes invisibles, sans pouvoir s'orienter. Au terme de ce délai, il subira encore neuf autres années d'épreuves, pendant lesquelles il sera banni de notre table, interdit de Nectar et d'Ambroisie.

Le silence est écrasant et, lorsque le dernier serment est prononcé, Zeus, satisfait, lève sa coupe ; comme s'il portait un toast, il conclut :

— Et maintenant, occupons-nous des hommes !

PARTIE 2

LE CHOC
DES TITANS

8

La Terre est la table des dieux

Où en sont-ils, les hommes, justement ?

Après la défaite de Typhon, le calme s'est déployé sur le monde pendant de nombreux cycles. Les dieux, installés aux postes de commande octroyés par le Maître, ont peaufiné l'installation de l'univers. Partout, dans les galaxies et les constellations, la vie, longtemps malmenée par les désastres, tapie sous le vacarme des luttes amères, a soudain pris son essor.

C'est ainsi que la Terre se métamorphose brutalement, comme libérée d'un carcan. Elle panse ses plaies, s'épanouit, se pare, embellit à vue d'œil, devient joyau, et donne libre cours à sa générosité. Sa végétation reprend ardeur. Les sols, fertilisés par les cendres des incendies, rincés par les grandes pluies, fourmillent maintenant, germent, fructifient sans plus aucune retenue. Les populations d'animaux qui ont échappé aux ravages se multiplient et prospèrent. Des espèces nouvelles apparaissent, cherchent leur place, glissant, grognant, chuintant, composant des symphonies rêches que les dieux regardent monter vers eux comme des hommages. Pour la première fois, ils recueillent les fruits de leur labeur. Ce monde s'éveille de sa nuit et fonctionne ; des créatures les honorent. Ils sont flattés.

Les hommes ne sont pas en reste. Ils ont souffert, ils ont tremblé de terreur, ils ont su résister à l'anéantissement. L'accalmie venue, ils quittent tanières et terriers, se dressent au jour, pareils à une germination farouche, et sont aussitôt fauchés par la surprise. Leur domaine rugueux, glacial, a disparu. Ils découvrent un jardin vaste et fertile où le vent leur parle sans hostilité, brasse une variété de parfums inconnus, où les arbres s'inclinent sur leur passage, proposant baies, fleurs, gousses, graines, prémices de ce renouveau. Ils explorent les lieux, déambulent en flairant, gambadent, ivres de sensations, s'exclament, rient pour des riens, s'étonnent de leurs voix tellement souples qu'ils en tressent d'interminables vocalises dont les échos escaladent les monts, sinuent dans les vallées, se perdent en cahotant sur le dos des torrents.

Une profusion de merveilles s'offre aux hommes. Ils goûtent, dévorent, se gavent. Chaque bouchée est une expérience et soulève des tempêtes de saveurs. La Terre est la table des dieux, et les humains y sont conviés. Ils n'ont qu'à se servir et à se prélasser dans la lumière incandescente qui ruisselle à flots des hauteurs du Ciel.

Les créatures, gâtées et protégées, ont tôt fait de s'acclimater à cette douce existence. Si l'ancien Âge d'Or de Cronos a disparu depuis longtemps, une deuxième période d'abondance et de bien-être s'est instaurée : l'Âge d'Argent, inauguré par Zeus. Tout y est neuf, tout y est propre, et tout y semble possible, car tel est pour l'instant le bon plaisir du Roi. Celui-ci, en effet, en découvrant les échantillons de cette race si vigoureuse et endurante, a pris conscience de son potentiel et du parti qu'il pouvait en tirer.

— J'ai conquis le monde avec tout ce qu'il renferme. Ceux-ci ne feront pas exception. Ils m'appartiennent.

Zeus décrète, mais n'est pas dupe. Un obstacle de taille se dresse en travers de son chemin : Prométhée ! Il le sait. L'ombrageux créateur ne se laissera jamais convaincre d'abandonner ses droits sur ses enfants. L'Olympien devra donc recommencer à livrer une bataille, la quatrième, et cette fois-ci contre son cousin, ancien allié. Un nouveau choc de Titans !

S'il est résolu, son projet demande encore à être précisé. C'est pourquoi Zeus se rend fréquemment sur la terre, étudier ceux qu'il convoite. Il les observe vivre dans les communautés qu'ils ont formées, jauge leurs capacités, leurs faiblesses, leur marge d'évolution. Leurs grands corps malléables l'amusent. Ils sont dotés d'une vélocité surprenante, et lorsqu'ils courent, ils évitent les obstacles grâce à l'écho des petits cris qu'ils poussent, car ils voient mal. Leurs yeux ne sont pas encore ouverts au monde. Ils perçoivent seulement, distinguent les vibrations qui entourent les choses, et lorsque le dieu va et vient parmi eux, il atténue l'intensité de son rayonnement pour éviter de les brûler. Ils le sentent à la majesté qui les envahit soudain, se laissent envelopper par sa puissance, gloussent d'étonnement, ou tremblent, se réfugient dans les arbres, se cachent dans les fourrés. Et le Maître, à chacune de ses rencontres, laisse infuser sa présence incandescente dans l'embarras confus de leurs esprits.

Zeus multiplie ses visites. Les hommes s'accoutument à lui, et leurs appréhensions disparaissent peu à peu. Devant la mélancolie qui les gagne lorsqu'il les quitte, une vérité finit par s'imposer. Elle tient en un mot : NOSTALGIE ! Son plan de conquête sera fondé sur la nostalgie.

Aussi, dès qu'il revient sur l'Olympe, il se rappelle à eux en décochant sur la terre les flèches de sa foudre, par volées. Ici et là, les grands frênes à la fibre franche s'enflamment, incendiés par les éclairs, et dans le souffle des fournaises qui crépitent et grondent, les petits reconnaissent la voix du grand Être familier, qui vibre aussi dans leurs cœurs. En même temps qu'il se manifeste, Zeus se fait désirer et apaise le feu de leur impatience par un feu plus ardent.

Les éphémères, inconscients du danger, se précipitent, fascinés. Les premiers s'embrasent, pareils à des torches, ou s'écroulent, pris de folie, se consumant dans les convulsions. La plupart fuient, effarés, observant à distance la férocité magique du brasier. De rares téméraires, à force de ruses, parviennent à arracher des brandons qu'ils transportent jusqu'à leurs grottes, où ils construisent un foyer pour accueillir cette divinité et la nourrir comme un ogre sacré.

Zeus contemple les créatures. Il sent leur ferveur, leurs frissons. Une lueur s'éveille en eux. C'est l'espérance. Elle geint et soupire. Elle se tend vers lui comme l'assoiffé tend ses lèvres vers la source.

— De toute façon, pense-t-il sans se laisser attendrir, il faudra leur assigner une place définitive. Leur présence à nos côtés n'est qu'une survivance d'un passé révolu. Ils ne sont pas de notre rang et je dois y mettre bon ordre.

Son plan mûrit, et le moment d'affronter son cousin se rapproche.

— Et si je lui demandais de me conseiller sur le partage ?… Voire de l'effectuer…

Machiavélique Zeus. Il se méfie de Prométhée, trop imprévisible, véritable électron libre de la Création. Malgré l'aide que celui-ci lui a apportée à deux reprises, il demeure de la race indomptable des Titans. Leur sang coule dans ses veines et justifie toutes les précautions. Comme ses créatures, il a bien l'intention de le cadrer !

*
* *

Prométhée, trop clairvoyant pour ignorer les manœuvres de Zeus, s'apprête lui aussi, comme un joueur d'échecs à la veille d'une partie cruciale. D'abord, il assure ses arrières. Il fonde une famille en épousant sa nièce Célaeno, fille de son frère Atlas, l'une des sept Pléiades. Ensemble, ils conçoivent trois fils, comme on prépare une armée de réserve pour lancer l'ultime contre-attaque. L'aîné[1], Deucalion, *marin du vin nouveau*, sera son joker. Il lui pressent un avenir majeur, porteur d'ivresse, nautonier du futur.

Ensuite, il organise sa stratégie, prévoyant l'affrontement avec Zeus, survolant son déroulement dans ses dédales d'esquives et de leurres. Il anticipe ses coups, acceptant même la probabilité du pire pour parvenir à ses fins. L'enjeu est inestimable : le pilotage de l'humanité, l'éveil de son génie. Prométhée rêve de voir ses fils s'élever jusqu'aux étoiles, perçant les secrets du monde, emportés de découverte en découverte par leur curiosité insatiable. Libres, il les veut libres et sans tutelle.

Qui peut les stimuler, organiser les conditions absolues d'une telle recherche ? Qui, mieux que celui qui les a créés, leur père ? Ils sont aptes à métamorphoser

---

1. Les deux autres fils s'appelaient Lycos et Chimaerée.

la terre, à s'aventurer dans les confins de l'univers, et même à supplanter la suprématie de l'Olympe, à effacer les dieux…

Prométhée est trop désintéressé pour exiger d'eux la moindre gratification. Jamais les hommes ne deviendront les instruments de son pouvoir, ni l'humanité son trophée, contrairement à Zeus, dont les mains sont des serres. Son puissant cousin, lui, ne sait qu'échanger, prêter, concéder, calculer son intérêt. Jamais il ne donne de bon cœur, et penser qu'il se prépare à faire main basse sur son œuvre lui est intolérable. Le Titan veut en finir avec les prétentions de son adversaire.

9

Le Partage du bœuf

Zeus sent mûrir la rancœur de son adversaire, et, plutôt que de chercher à l'apaiser, décide d'y instiller son acide.

— Prométhée ! l'interpelle-t-il. Bravo pour tes hommes ! Avec tous les nœuds qu'il m'a fallu démêler ces derniers temps, je n'ai jamais eu l'occasion de te féliciter. Alors, maintenant que je suis un peu plus disponible, j'en profite pour me rattraper. Bravo ! Je t'assure, compliment ! Ta création est géniale. Un réel tour de force.

Prométhée, hoche la tête, méfiant.

— Je savais bien que tu finirais par t'y intéresser un jour, concède-t-il en guise de remerciement.

— Justement, reprend Zeus, je les ai observés et...

Il hésite, comme gêné par ce qu'il s'apprête à dire.

— Quoi ? Ils ne sont pas terminés ? C'est ça ?…

— Ah, tu en es conscient ? Tu me rassures ! Oui, ça saute aux yeux, évidemment. Ils sont encore à l'état d'ébauche… mais c'est un détail. Tu sauras y remédier, je ne m'inquiète pas. Non, ce qui me dérange davantage, c'est que… on ne sait pas qui ils sont vraiment ces… Comment les appelles-tu déjà ? « Humains », c'est ça ? Bref, ils sont lourds, vulgaires, grossiers… Pas des dieux, on n'en parle même pas. Ils tiennent un peu du minéral, un peu du végétal aussi, par leur souplesse. Mais tout bien pesé, ils s'apparentent davantage aux animaux. Oui, c'est vers l'animal qu'ils tirent le plus. Enfin, c'est assez difficile de trancher, ils sont… bâtards, tu ne trouves pas ? On ne peut pas les laisser dans cet état, franchement. Chaque espèce a droit à une place, à une identité précise, à des perspectives… et au statut qui va avec. Autrement dit, qu'est-ce qu'on fait d'eux, où est-ce qu'on les case ? Il est temps de décider.

— Nous y voilà ! sourit Prométhée.

— En effet, cousin, nous y voilà ! Je suis ici pour mettre de l'ordre. Et tu m'y as aidé, souviens-toi. Maintenant que le gros du travail est terminé, je ne veux rien abandonner au hasard. Nous avons assez souffert du chaos, toi et moi. Une seule faille négligée, minuscule, et il s'immiscera à nouveau dans l'organisation du monde. Pas question de prendre un tel risque ! Alors, tes hommes ?...

— Quoi, que veux-tu ?

— Décide ce qu'on fait d'eux. Tu es bien mieux placé que moi !

Prométhée garde le silence. Il cherche un moyen de déjouer le piège que Zeus est en train de lui tendre. L'Olympien n'a qu'un désir : mettre un terme aux anciens privilèges des hommes, affirmer encore et encore que l'Âge d'Or de Cronos est définitivement révolu.

Leur rencontre a lieu dans la plaine de Mékoné, où se trouve une importante colonie d'éphémères. Attirés par leur conversation, les dieux sont arrivés en nombre. Tout l'Olympe est là pour assister au débat. Les frères et les sœurs de Zeus : Hadès, Poséidon, Héra… ; leurs enfants : Hermès, Héphaïstos, Athéna très concernée, Apollon… Épiméthée s'est également mêlé au groupe, curieux de voir comment son frère va se sortir de cette passe difficile.

Les humains, bien sûr, se sont approchés, fascinés par l'orage de lumière qui a envahi la plaine. Des spirales de feu y tournoient, de hautes silhouettes semblent s'y mouvoir. Interdits, ils marmonnent leurs doutes et s'agitent. Ce rayonnement, les hommes le reconnaissent. C'est celui des grands êtres qui les visitent parfois. C'est la même majesté, c'est la puissance du ciel qui enflamme les frênes. Preuve qu'un événement considérable s'annonce. Ils le pressentent, et les plus réceptifs d'entre eux se tiennent sur leurs gardes.

Soudain, une déflagration les fait sursauter. Ils se tassent les uns contre les autres, incrédules. Un animal superbe a surgi et se tient devant eux, solidement campé sur ses pattes. D'où vient-il ? Jailli de l'air invisible ? Il les regarde, comme s'il venait pour eux. C'est un bœuf blanc, à la tête ornée de deux cornes en croissant qui implorent le ciel. Il meugle sourdement, mufle tendu vers le zénith. On dirait qu'il lance un signal.

— Voici la réponse à ta question, Zeus : ce bœuf ! annonce Prométhée aux dieux qui ne sont pas surpris par cette apparition. Regarde-le bien, et suppose qu'il représente à la fois les dieux et les hommes. Une part noble donc, et une autre de bas morceaux. Tu me suis ? Maintenant, jouons à un jeu, si tu permets.

Il parade devant les immortels, qui s'interrogent du regard. Zeus ne cille pas.

— Je vais extraire les deux composantes de l'animal, reprend-il, et j'en ferai deux lots distincts. D'un côté le premier choix pour vous, les tout-puissants, de l'autre les rogatons. C'est bien pour cette raison que tu m'as sollicité, n'est-ce pas, cousin ? Pour que je tranche ! Lorsque j'aurai terminé, c'est toi qui attribueras à chacun la part qui lui revient. Quel aliment pour les dieux, et lequel pour les hommes !

Les Olympiens retiennent leur souffle, se demandant pourquoi leur chef s'est laissé imposer ces conditions.

— C'est toi, Zeus, qui choisiras, évidemment, le rassure Prométhée. Privilège du rang oblige. Les hommes recevront ce que tu décideras. D'accord ? Je ne doute pas que tu auras la main juste.

Zeus ne proteste pas, ne discute aucune des règles, et consent même en souriant à toutes les exigences de Prométhée. L'assemblée du Ciel, en revanche, murmure.

— S'il choisissait la mauvaise part, proteste Arès, et qu'il nous impose de la nourriture d'éphémères ?

« Pourquoi se laisse-t-il entortiller par ce Titan ? » se demande Hermès.

Prométhée, qui les entend, ne leur laisse pas l'occasion de s'interroger plus longtemps.

115

— Maintenant, retirez-vous, s'il vous plaît, leur dit-il, et laissez-moi faire. J'ai besoin d'être seul pour organiser ces agapes. Je vous appellerai dès que la table sera dressée.

Sans se préoccuper des immortels qui s'éloignent dans la plaine, Prométhée commence le sacrifice, et les hommes, qui n'ont rien entendu des conciliabules entre les dieux, voient soudain le bœuf, si noble, tomber à genoux et s'affaler sur le flanc, abattu par un tourbillon lumineux qui danse autour de lui. Ils crient, reculent horrifiés, car le ventre de la bête, incisé par un trait de feu, s'ouvre, laissant le flot lourd de ses entrailles se répandre sur le sol en fumant. La peau se détache alors de la chair et s'étale sur le sol comme une nappe. Elle accueillera, d'un côté, les os blancs des jambes et des cuisses soigneusement raclés, et de l'autre, la chair juteuse et les viscères : le foie, les reins, le cœur…

C'est là toute la machination subtilement imaginée par Prométhée pour protéger les humains des intentions de Zeus.

Ici, prendra place le festin réservé aux dieux : les os, nourriture de mendiant habitué à sucer les restes qu'on lui jette sur le sol ; là, le repas de ses hommes bien-aimés : les meilleurs morceaux, la nourriture goûteuse, qui chante sous la caresse de la braise.

Le Titan se hâte, emporté par son projet fébrile. Il trouve les jointures des articulations, libère les tendons, détaille la chair avec soin. Ensuite, il prélève la panse, la vide, la nettoie. Enfin, il dégage la graisse. Panse et graisse sont les éléments essentiels de son dispositif. La panse, repoussante, aux odeurs de vomi, servira à emballer de la nourriture appétissante. Quant à la graisse onctueuse et luisante, alléchante, elle servira d'appât en recouvrant les os.

Zeus se laissera-t-il prendre ? Prométhée l'espère, pour rabattre sa superbe.

— Il a trop facilement accepté mes conditions. Il y a anguille sous roche, murmure-t-il en préparant ses leurres. J'ignore par quel tour de passe-passe il a prévu de me dérober les hommes, mais il ne va pas comprendre ce qu'il lui arrive.

Pendant qu'il travaille, les hommes assistent aux préparatifs comme s'ils prenaient une leçon d'abattage et de découpe. Les parfums violents de la viande fraîche, des boyaux, du sang excitent leurs papilles et les font saliver. Ils savent qu'un Maître est présent. Qui, leur père ? Peut-être. Ils sentent sa bienveillance, et demeurent ébahis par le rayonnement d'énergie qui virevolte autour des restes du bœuf et organise le banquet.

*
* *

Les dieux sont à nouveau rassemblés. Devant la table, l'hôte et son invité. Zeus observe les deux menus en silence et détecte immédiatement le stratagème. Mais il prend son temps, scrute la graisse, puis la panse, fait semblant d'hésiter et se tourne vers Prométhée, avec un faux sourire complice :

— Très futé ! s'exclame-t-il en hochant la tête. Cela ne m'étonne pas de toi, cousin. Je suis bien obligé de le reconnaître : tu me plonges dans l'embarras.

Prométhée se tait, évite de croiser le regard de son adversaire, concentre ses pensées sur les hommes dont l'avenir est en train de se jouer.

— Réfléchissons, poursuit Zeus. Deux offres. L'une, tentante, tentatrice même ; l'autre, rebutante. Laquelle choisir ? Sûrement pas la seconde, évidemment ! Il faudrait avoir perdu la raison, ou être très très affamé, pour préférer un sac à ordures.

Il rit, prend sa famille à témoin, s'amuse.

— Sauf que ce repas est l'œuvre d'un maître queux subtil, qui s'y entend pour dérouter et surprendre. Complexe, sa cuisine ; très élaborée ! Elle se déploie en sinuant, vous chavire le palais, vous menant par le bout de la langue de surprise en surprise... Quelle surprise m'attend donc ici ? Dois-je céder à mon premier mouvement ou, au contraire, me méfier des apparences ? Graisse ou panse ?...

Il laisse le silence se poser, observe les siens, suspendus à sa démonstration, jette un coup d'œil à Prométhée qui ne bronche pas.

— Et que cachent les apparences ? Fondamentale question ! Une nouvelle feinte peut-être, car celui qui a conçu cette présentation est rusé, ambitieux, dévoré d'indépendance. Il peut vouloir m'attirer ici pour me tromper, afin de mieux me diriger là, explique-t-il en désignant alternativement la graisse puis la panse. Nous n'avons pas affaire à un subalterne, ne l'oublions pas. Il est... Prométhée, le Prévoyant. Il voit loin, et ses coups, mûrement calculés, sont toujours à double, triple détente ! Attention, cet immortel est dangereux ! Mais je suis Zeus, ne l'oublions pas non plus ! Alors, que faire ? Pour couper court aux spéculations, il n'existe qu'un moyen : revenir à la source, à l'intuition divine ! Tendre l'oreille vers son cœur, l'écouter. Et que me chuchote mon cœur ? Un mot : GRAISSE !

Sa décision est prise. Il s'approche, écarte les monceaux de graisse onctueuse, et découvre... les OS !

— Quoi, des os ? sursaute-t-il. C'est ça, ma part ? La part noble qui revient aux dieux ? Est-ce que je comprends bien ?... Et aux hommes, qu'est-ce que tu as réservé ? Montre voir !

Devançant Prométhée, il saisit la panse puante, l'ouvre, et renverse son contenu gourmand sur la table.

— Et voilà ce que tu qualifies de rogatons, éructe-t-il, blanc de rage. Regardez : paleron, entrecôtes, onglet, poire... qui dit mieux ! Bavette, aloyau, faux-filet... Que du bon à l'Auberge du Titan ! Ah, tu les soignes, tes petits protégés ! Tu ne leur refuses rien ! Et pendant qu'ils se taperont la cloche, nous autres, dieux, nous nous rabattrons sur de la nourriture qu'on jette aux chiens ! Le premier choix, selon toi ! Non, dis-moi que tu n'as pas osé, que cette intention t'a dépassé malgré toi, que je suis victime d'une de tes illusions !...

— Aucune illusion, cousin, détrompe-toi ! Je n'ai fait que préparer les morceaux, se rebelle Prométhée. C'est toi qui as choisi, toi qui as désigné la part des dieux. Personne ne t'a influencé ! Tu pouvais tout aussi bien opter pour la panse. Tu as écouté ton cœur, pas le mien ! Et ton cœur t'a trompé, voilà tout ! Ne rejette pas la responsabilité sur moi. C'est trop facile ! Tu ne peux t'en prendre qu'à toi-même.

— Manipulateur ! Tireur de ficelles ! poursuit Zeus, balayant les objections. Tu m'as tourné en ridicule devant les miens, tu m'as fait perdre la face. Ah, je la reconnais bien là, ta manière d'incorrigible provocateur ! Tu agaces, tu harcèles, tu cherches sans cesse la ligne de rupture ! Tu ne peux pas t'en empêcher. Te crois-tu hors d'atteinte, dis, pour risquer de me braver ? Tu es fou, je te le dis ! Complètement inconscient ! Tu ne pourras pas toujours t'esquiver. Un jour, tu devras réfléchir aux conséquences de tes actes. Mais comme j'ai mieux à faire pour l'instant que d'entrer en lutte contre toi, ce sont tes enfants qui paieront le prix de tes fantaisies ! Leur vie va changer, crois-moi. Tu te chargeras de leur expliquer pourquoi !

Zeus ne profère pas un mot de plus. Il quitte la plaine de Mékoné et regagne l'Olympe, suivi par sa tribu.

À peine dans son palais, il met sa menace à exécution et envoie ses calamités. La belle lumière dorée, qui faisait la joie des couleurs de la terre, perd soudain son intensité. Une clarté blafarde la remplace, tout devient terne, et les choses, auparavant si vivantes, perdent leur rayonnement. Dans les logis, les feux s'éteignent les uns après les autres, la nuit revient, le froid. Les hommes, pris de panique, sentent remonter les vieilles peurs. Ils ont beau approvisionner les foyers de brindilles sèches, rien n'y fait. Le bois refuse de s'enflammer. La végétation, elle aussi, est attaquée. Les plantes s'étiolent, fanent, et sur la Table des dieux, les fruits pourrissent, les céréales sèchent. Les animaux sauvages, à leur tour, sont entraînés par ce reflux de la vie. Ils se méfient dorénavant des éphémères. Les plus féroces les attaquent et les dévorent. Alors qu'hier la nourriture foisonnait, les créatures, comme aux âges reculés de leurs débuts, luttent contre la famine en rongeant des racines, en mastiquant des lichens et des mousses, en lacérant leur viande. Le monde est sombre. Il se recroqueville et grelotte.

La colère de Zeus n'est qu'une feinte, destinée à déstabiliser son adversaire, pour mieux s'en prendre aux hommes. Car le partage du bœuf, tel que l'avait conçu Prométhée, était parfait. Les os, en effet, ne peuvent convenir qu'aux immortels, car leur cœur de moelle est le berceau de la vie, où se fabrique l'or rouge du sang, la forge où cuit l'amour. L'os inaltérable est pourvoyeur d'éternité.

La viande, en revanche, goûteuse, mais périssable, est l'aliment le mieux adapté à ceux qui périssent, les éphémères.

Prométhée, hélas, ne s'est pas rendu compte de la manipulation. Aveuglé par son orgueil, par sa volonté de se mesurer à Zeus, il n'a pas vu, lui, le Prévoyant, que Zeus l'avait poussé à tracer une ligne de partage définitive entre les dieux et les hommes. En voulant protéger ses créatures, il avait précipité leur chute. Il les avait rendues mortelles. Et le maître de l'Olympe, roué, en avait profité pour conquérir le fragment de Création qui lui échappait encore.

Son calcul vient de loin. Lorsqu'il enflammait les frênes pour que les humains viennent y glaner des brandons, il anticipait le jour où il leur retirerait ce feu, afin d'établir son empire sur eux.

Fin des avantages acquis, de la vie facile sous la protection du Père. Zeus remet cet embryon d'humanité à plat, en le ramenant aux portes de la nuit. Inexorablement, il déroule son plan.

10

Le vol du feu

Ulcéré d'avoir été berné, Prométhée dresse l'inventaire des dégâts en parcourant la terre. Elle est devenue méconnaissable. Elle a perdu toute sa pétulance. Et les hommes, qui s'enhardissaient en s'appropriant joyeusement le domaine, ont recommencé à se cacher, épouvantés par le retour des ténèbres, vivant dans la crainte de nouveaux cataclysmes, comme aux pires instants des guerres entre les dieux.

Tel est Zeus, impitoyable vainqueur, prêt à détruire ce qui lui échappe pour mieux le remodeler à sa convenance.

— Rien ne t'arrête ! enrage Prométhée. Tu donnes et tu reprends. Tu libères pour mieux asservir, et sur ton Olympe, tu te délectes de voir les humains terrorisés, réduits à rien. Tu les ramènes au passé, tu les gaspilles. Quand toutes les nourritures étaient à leur disposition, tu leur imposes maintenant de les chercher. Tu les réduis à l'état de fauves, orphelins de ton feu, mangeurs de viande crue, bientôt cannibales. Qu'espères-tu de cette régression ? Qu'ils évoluent par la souffrance ?

» Ils sont la chance de la terre, ses petites mains, capables de la ciseler, d'en extraire les ressources cachées, de la métamorphoser par leur génie. Pourquoi retarder cette mise en œuvre ? La Création est achevée, le monde est prêt. Ils en sont le grand projet d'avenir. Accepte de ne pas en avoir eu l'idée, et aide-les, plutôt que de les triturer comme des insectes. Leur enthousiasme ne demande qu'à brûler !

Sa fureur grandit à mesure qu'il la déroule.

— Brûler, s'enflammer ! reprend-il. Le feu... Je n'attendrai pas ton bon plaisir. C'est moi qui le leur rendrai.

— Et je t'aiderai.

Qui parle ? Il se retourne et découvre Athéna. En proie à son exaspération, il ne l'a pas entendue arriver.

— Ah, c'est toi, petite !

— Oui, Prométhée, c'est moi. Ton dépit m'a alertée, et je comprends ta colère. Mon père est dur, en

126

effet, mais il suit une voie différente de la tienne. Pourtant, j'approuve ton projet. Il est juste, je vais le favoriser. Tes hommes sont une belle œuvre. De vrais petits soleils. Ils méritent d'être libérés, comme tu l'as fait pour moi au moment de ma naissance. Sans ton intervention, que serais-je devenue ? Et que dire de Celui dont la tête était au bord de l'éclatement tant je la comprimais ?... Les éphémères sont à l'aube d'une seconde vie. Ils ont besoin d'un grand accoucheur qui les aide à renaître, et je n'en connais pas de meilleur que toi.

L'Inflexible a parlé.

— Suis-moi, lui dit-elle.

Le crépuscule commence à descendre sur la terre lorsqu'ils atteignent, par des voies discrètes, les frontières du royaume de l'Olympe. Hélios vient d'achever sa course dans le ciel et passe le relais, pour la nuit, à sa sœur Séléné. Les quatre chevaux de son attelage, déharnachés, paissent dans les îles des Bienheureux, et son char est remisé dans les dépendances de son palais flamboyant. C'est à cette source de feu que Prométhée veut puiser.

— La tâche qui attend mes hommes nécessite le plus pur, explique-t-il à sa guide, mais comme ils n'en supporteraient pas l'incandescence, je vais atténuer son intensité.

Il avise une touffe de férules[1] gigantesques.

— Regarde ces plantes ! Tu vois leurs fûts rectilignes, pareils à la colonne creuse qui tient mes créatures debout. C'est cet écrin qui va domestiquer le flamboiement divin pour l'ajuster à l'écrin des hommes.

Disant cela, il enflamme une torche à l'une des roues du char d'Hélios, et pendant qu'une braise se forme, il cueille une tige de narthex, l'incise délicatement, puis, par la fente, y dépose un charbon ardent. La plante se cabre sous la brûlure, puis l'intérieur, tapissé de velours humide, l'apaise, se referme sur elle, et lentement l'épouse.

Alors qu'il s'apprête à redescendre sur terre, Athéna le retient et lui glisse dans la main une poignée de joyaux.

— Prends ces semences ! lui dit-elle. C'est ma contribution à la transformation des hommes. Ils en auront besoin, et tu sauras en assurer la transmission.

Prométhée contemple l'intérieur de sa paume d'où montent des pépiements. Chacune des gemmes est

---

1. En grec *narthex*, ombellifère à la tige creuse, de la même famille que le fenouil.

parcourue de courants. Ombres et lumières se mêlent en miroitant, comme les alternances du ciel à la surface des grands lacs. Il distingue tous les compartiments de la connaissance à venir, les Arts, les Sciences, et les prouesses des humains quand ils en prendront possession : l'astronomie, les mathématiques, l'architecture, la médecine, la navigation en haute mer, les arts du feu, l'agriculture, la poésie, la sculpture... Inestimables présents. Lorsqu'il veut remercier la déesse, sa petite-cousine, elle s'est déjà effacée, lui signifiant qu'il est temps de rentrer.

Commence alors sa grande œuvre d'émancipation.

Il rend visite à ses enfants et profite de leur sommeil pour saupoudrer leurs rêves. D'abord, il leur remet l'essentiel, le feu qu'il a volé pour eux. Dans chaque communauté, il choisit un sujet témoin. D'une caresse, il incise la base de sa colonne vertébrale, comme il a pratiqué avec la férule. Puis, au creux de ce narthex humain, il dépose un fragment de la braise de soleil, qui s'est adoucie pendant son voyage de retour vers la terre. L'homme geint en dormant, s'étire et s'éveille. Il est chaud, hanté par une vision qui le bouleverse. Il n'est pas seul. Une puissance l'habite. Il tremble. À ses côtés, ses frères dorment encore.

Malgré l'obscurité, il les voit comme s'il faisait grand jour, à la lueur d'une aube qui semble émaner de lui. Il voudrait les secouer, les alerter, mais l'inconnu qui a pris possession de son être lui commande d'agir. Il se soumet à ses ordres et quitte précipitamment son abri, se laissant diriger vers un laurier dont il brise un rameau. Puis, ramassant un bloc tendre de faux grenadier, il le cale entre ses pieds, après s'être assis sur le sol. Saisissant alors la branche, il la fait pivoter entre ses mains à la façon d'un trépan et attaque la surface inerte du faux grenadier. La peau d'écorce se prête au mouvement, se laisse mordre et s'assouplit. Entamée par la friction, elle s'échauffe rapidement, dégageant un parfum qui dilate les forces de l'ouvrier, l'encourage à besogner davantage. Le laurier blesse la chair des mains. L'homme halète, son souffle trébuche, il geint, quand soudain une brûlure lui mord les reins, lui arrachant un cri. Soudain, l'extrémité du trépan, échauffée par son frottement dans la matrice, libère un ogre écarlate et turbulent qui, aussitôt né, commence à dévorer ses deux parents.

À bout de forces, l'éphémère hoquette et grogne. L'insatiable glouton l'assaille et le ronge à son tour. L'homme, changé en forge, interpelle les siens, réclame davantage de combustible : lichens, mousses, brindilles. Debout, allons ! La vieille vie se consume, de nouveaux temps s'annoncent !

Les dormeurs se dressent en sursaut, découvrent leur frère incandescent dont la tête est couronnée de flammèches. Ils hurlent, partagés entre stupéfaction et épouvante, interloqués de voir que le bois inerte a accouché du feu grâce à la magie de l'un d'entre eux, qui s'est transformé en flambeau. Comment a-t-il fait ? Pourquoi lui ? Et l'idée, comment a-t-il eu l'idée ?

Le premier feu humain vient d'apparaître sur la terre. De créature, l'homme est devenu créateur, capable de reproduire à volonté le feu qui lui tombait du ciel. Serrés les uns contre les autres, ébahis de posséder cette puissance inattendue, les éphémères se laissent bercer par la danse des flammes. Dans leurs faces rougeaudes, leurs yeux brillent, en proie à mille rêveries, leurs tempes battent d'une espérance qu'ils ont du mal à nommer, et, dans la férule de leur dos, ils ressentent soudain, comme leur faiseur de feu, la brûlure fulgurante, qui leur saisit les reins, avant de disparaître dans les tréfonds de leur être.

L'étincelle divine, volée au char du Soleil, repose désormais dans la nuit de leurs cœurs, comme une porte secrète qui ouvre sur l'Olympe et donne accès aux dieux.

Partout, à la surface de la terre, des myriades de feux s'allument, témoignant des visites que le Père rend à ses enfants, et Gaïa, toute fière de sa nouvelle parure, admire comment, chaque nuit, ses modestes champs d'étoiles saluent de leurs balbutiements les illuminations de la voûte céleste.

*
* *

Et Zeus, pendant ce temps ?

Zeus se contient et réfléchit. Quand il a découvert le forfait de Prométhée, une rage sourde l'a saisi.

— Ainsi, tu n'as pas pu t'en empêcher ! Je t'ai trop ridiculisé avec le bœuf, et je me doutais bien que tu n'en resterais pas là. C'est drôle, comme tu te laisses entraîner où je veux te conduire. Tu es trop bouillant, mon cousin, trop pressé d'atteindre ton but. Tu réfléchis, mais ne penses pas assez. Cette fois, pourtant, tu as nettement dépassé les bornes. Tu as voulu me jouer un sale tour, mais au vu et au su de toute la Création, ce n'est plus une provocation, c'est un outrage.

Son projet de contre-attaque est déjà conçu. Cependant, avant de le lancer, il veut tirer au clair une question qui le préoccupe. Comment Prométhée a-t-il pu lui dérober le feu ?

— Il a bien fallu qu'il s'introduise dans l'Olympe ! Quelqu'un l'a aidé, forcément ! Qui ?

— C'est moi, père, lui répond Athéna.

Née de la tête de Zeus, elle ne cesse jamais de l'entendre penser, et connaît tout de lui. Si elle n'avait sa droiture, il l'aurait déjà neutralisée.

— Toi ? s'étonne-t-il. La meilleure de nous tous... Tu m'as trahi ?

— La trahison n'est pas dans ma nature, tu le sais bien. Je t'ai seulement empêché de commettre une erreur. Tu n'as pas encore pris la mesure des hommes. Tu t'es montré injuste avec eux, par orgueil. Tu es jaloux que leur création t'ait échappé. Ils ont un potentiel que tu n'imagines pas. Pourquoi les rabaisser en les privant du feu ? Est-ce qu'ils n'ont pas assez souffert pendant les guerres ? Les hommes sont tes meilleurs alliés, père, crois-moi. Je ne les ai favorisés que pour mieux servir tes plans. Tu verras. Lâche-leur un peu la bride, laisse-les prendre de l'ampleur. Il sera assez tôt de mettre le holà si la nécessité s'impose. Je suis certaine qu'ils te surprendront.

Zeus dévisage Athéna, éblouissante de franchise, son enfant préféré. Il l'aime tant. Il tolère d'elle ce qu'il n'accepterait de personne.

— Détrompe-toi, lui répond-il, je ne les ai pas rabaissés. Je les ai protégés. Mon feu, même transitant par les frênes, était encore trop violent pour eux. Je me doutais bien que Prométhée saurait leur donner celui qui leur convenait. Il suffisait juste de l'énerver ! L'étape suivante est déjà en chemin, poursuit-il. J'aurai besoin de toi, comme de tous ceux de mon premier cercle. Tu ne me décevras pas, n'est-ce pas ?

— Est-ce mon habitude ?

« Incorruptible fille, pense-t-il. Comment pourrais-je me passer de toi ? »

*
* *

Prométhée, lui, s'active avec fébrilité sur son chantier humain. Il a repris son ouvrage où il l'avait laissé. Son prototype a suffisamment prouvé son endurance, sa robustesse, ses incroyables facultés d'adaptation. Il s'agit maintenant de l'aider à déchirer sa chrysalide, pour le propulser en avant.

— La terre de la rivière Panopée, votre mère intime avec qui je vous ai donné la vie, leur murmure-t-il en se penchant sur eux, est une terre vibrante, dont votre cœur est le royaume. Vous êtes un gisement insondable, et le feu qui dort en vous le meilleur instrument pour en exploiter les richesses. Attisez-le, levez en vous de grands incendies de clarté, explorez vos mystères, arpentez sans honte vos chemins obscurs. Ils sont balisés de vertiges qui dissimulent des merveilles. Soyez libres. Allez...

En leur parlant, il les ensemence des levains qu'Athéna lui a remis, puis il s'éloigne, laissant fermenter la pâte de leur esprit, encore molle et docile.

11
Pandore

Pendant que l'Olympe s'affaire, et que les dieux sont réquisitionnés par le grand projet de Zeus, sur la Terre, la vie recommence à crépiter. Les clans d'hommes ont retrouvé une vigueur décuplée. Le feu qui naît sous leurs mains bande leur courage, rajeunit leur confiance. Leur terreur de le perdre, l'épouvante de la nuit, les a quittés. Ils redressent le front, ouvrent les bras sous le ciel, vociférant de longues incantations, mordent le vent, bardés d'audace, prêts à relever les défis qu'ils sentent frissonner dans les coulisses de l'horizon, pareils à de grandes nuées d'insectes. Ils chassent, traquent, raclent les peaux, se taillent des vêtements chauds. Armés de leurs épieux infaillibles durcis à la flamme de leurs foyers, ils affrontent les grands herbivores avec aplomb, et les ruses des rabatteurs, qui jouent avec le vent, font merveille.

Au retour de leurs campagnes d'approvisionnement, pendant que les uns préparent la nourriture, d'autres s'isolent dans leurs abris rocheux, un silex à la main, et célèbrent leur exploit. Ils décorent les parois des grottes en y creusant des sillons disposés côte à côte, en faisceaux, comme s'ils figuraient les membres de leur tribu, en ordre de bataille et faisant face. La pierre grince et regimbe sous le grattoir, puis se prête. Chaque trait gravé est un cri monté des viscères de l'artiste, qui riposte à la rudesse du monde et célèbre la pugnacité des siens : « Vivant ! Vivant ! Han ! Han ! » Le souffle rugueux du graveur, ses grognements d'effort font vibrer la grotte et se propagent dans ses recoins, où il porte son œuvre en rampant, ignorant qu'il écrit, dans la solitude et la pénombre, les premières lignes d'une grandiose épopée.

Cellule humaine résistant devant l'immensité, poussières opiniâtres d'une tribu, semblables aux particules du cosmos, qui, en s'unissant, ont permis à la matière de devenir galaxies, constellations, pouponnières de soleils et de modeler l'univers.

Grâce au renouveau du feu, l'homme encore balbutiant pose son empreinte sur la terre et commence à sculpter sa présence.

*
* *

Dans le Ciel, Héphaïstos s'applique à réaliser l'ouvrage commandé par Zeus.

— Choisis l'argile la plus fine, lui a conseillé le Maître, mouille-la d'eau pure et pétris-la longuement. Ensuite, prends modèle sur nos sœurs, et façonne-moi un beau féminin. Une poupée ! Accorde-toi pleine fantaisie, livre ton talent sans retenue. L'être que nous allons concevoir est assuré d'un avenir glorieux, même si nous ne pouvons pas encore prédire lequel, car tout dépendra de son époux.

Chacun comprend, sans avoir besoin de le demander, que le futur destinataire de cette création unique n'est autre que Prométhée. Pourquoi un tel cadeau ? Apaiser le Titan ? Se réconcilier avec lui pour assurer une paix définitive ? Nul ne le sait. Les projets de Zeus sont impénétrables.

Sous les mains d'Héphaïstos, une silhouette s'extirpe peu à peu du bloc d'argile où elle semblait emprisonnée. On dirait une étoile qui émerge du chaos, encore sans éclat, inerte, mais dont le maintien, empreint de noblesse, laisse espérer l'avènement d'une reine.

Cette mise en forme achevée, le génial boiteux[1] cuit son œuvre au feu de sa forge, la laisse refroidir, puis la ponce longuement, effaçant les moindres aspérités, pour donner à la terre le soyeux d'une peau. Il s'attarde en mouvements délicats sur les joues, creuse la commissure des lèvres, caresse le cou frêle, les seins hauts et pleins, les mains, le ventre bombé qui prélude à la chair, les cuisses au fuselé parfait. Il cherche l'imperfection, l'infime défaut qui offenserait l'harmonie, et chaque pli, chaque creux, chaque ombre intime reçoit sa visite.

La qualité du matériau choisi par le dieu se révèle alors dans sa majesté. La jeune fille rayonne d'une blancheur immaculée. Elle dort.

— Athéna, c'est à toi maintenant, ordonne Zeus. Réveille-la.

---

1. Héphaïstos, fils d'Héra, avait été jeté de l'Olympe par Zeus, au cours d'une querelle des époux divins. Sa chute sur la Terre est la cause de cette claudication.

La déesse s'approche, pose ses lèvres sur la bouche entrouverte de l'effigie et souffle, comme un flûtiste réchauffe le corps de son roseau. Aussitôt, la peau se pigmente, le visage rosit, la poitrine se soulève, libérant une onde tiède qui gagne tout l'édifice d'argile. Les yeux demeurent encore soudés par le sommeil des limbes, et la déesse les ouvre en effleurant les paupières. Ils sont bleus dans la lumière, traversés de reflets verts et violacés, pers, comme les yeux inimitables d'Athéna, qui entreprend alors d'habiller la créature. Elle a cessé d'être un mannequin de matière brute, elle vit, et la chaste fille de Zeus ne peut accepter de la laisser nue, exposée aux regards. Une simple robe blanche, taillée par les zéphyrs, suffit à la couvrir.

— Tu n'es plus un objet, lui murmure la déesse en ornant le vêtement d'une ceinture, tu es une femme. Et cet anneau dont je te ceins la taille, est une promesse d'alliance, un encouragement à t'unir à un homme pour construire un havre de paix. Ton époux viendra s'y réconforter et reprendre confiance. Établis des liens avec lui, mais veille à les maintenir souples. N'hésite pas à les desserrer si tu ne veux pas que ton refuge se transforme en prison.

La jeune vierge écoute, docile, approuvant de la tête sans bien comprendre le sens de ces conseils. Elle écarquille les yeux devant l'assemblée d'inconnus étincelants qui l'observent, comme s'ils attendaient un événement.

— Accompagne-moi, maintenant, l'invite Athéna qui n'en a pas encore terminé.

Elle l'installe devant un métier à tisser et commence à l'initier.

— Les femmes enfantent et tissent, lui explique-t-elle. Ce sont deux façons de nourrir et de révéler la vie. Pour accomplir l'une ou l'autre, elles puisent dans la matière intime de leur cœur, sécrétée jour après jour. Lorsque tu tisses, les instants qui passent, avec leurs soucis, leurs drames, leurs joies, leurs désirs fous, s'enchevêtrent à la trame de ton ouvrage, lui apportant parfois de la clarté, parfois de la noirceur. Tous comptent, que tu le veuilles ou non, même les plus lugubres, même les plus détestables. N'en rejette aucun ; tous contribuent à l'originalité de ta toile. Bientôt apparaîtront des motifs que tu as tracés sans le savoir. Observe-les bien, ceux-là. Ils composent un visage inconnu, le tien, celui qui ne se montre pas. Ne détourne pas la tête devant lui, car il te révélera qui tu es, ce que le monde attend de toi, ta destinée.

Me comprends-tu ? En tissant, tu déroules ta vie devant toi, telle que tu ne la vois jamais. Laisse-toi surprendre[1]! Je te confie ce don pour les femmes qui peupleront la terre à ta suite. Tu seras leur mère. En apprenant toi-même à tisser, tu les rendras tisserandes à leur tour. La tapisserie est un art subtil. Ne le transforme pas en fabrique de tapis…

Athéna, frémissante de sa leçon, regarde son élève dont les yeux brillent. Elle la sent prête à installer son chantier, à monter vite sa première lisse, à lancer la navette. Mais d'autres dieux attendent, et la déesse leur cède sa place.

Aphrodite s'impose la première, impatiente de répandre sur la novice un charme qui la rendra irrésistible. Elle veut qu'on ne puisse plus la quitter des yeux quand on la regarde, qu'on reste suspendu à ses lèvres quand elle parle. Charmante et charmeuse, séduisante et séductrice. Elle veut que ses mots ensorcellent, dévoilent le sens caché des choses, enfoui dans la nuit des êtres, où dorment les vérités.

S'avancent ensuite les Grâces, éblouies par la beauté de la jeune fille. Elles ajoutent des colliers

---

1. Sur l'art de la tapisserie, voir aussi Héraclès chez Omphale, in *Héraclès, le héros sans limites*, opus cité.

d'or à sa parure pour que sa voix monte de sa gorge, claire et joviale, et que ses enseignements aient l'éclat du soleil.

Puis, arrive Héphaïstos, encore lui. Après l'avoir tirée du néant, il était retourné vers sa forge en courant, dévoré par une idée. Il revient, brandissant sa nouvelle œuvre à peine démoulée, et son époustouflante virtuosité arrache à tous les dieux des cris d'admiration. Même Zeus n'en revient pas.

— Décidément, tu te surpasses, fils ! le complimente son père. Tu enchaînes les exploits !

C'est un diadème, un bijou digne de la reine du Ciel. Les bêtes qui peuplent la terre, celles qui volent dans le ciel, y sont représentées dans une cohue organisée qui tient du prodige. On distingue un lion qui dévore une antilope, un aigle apportant la becquée à ses petits, un bœuf à la charrue, un âne, tête dressée, brayant aux étoiles… et une infinité de scènes reproduisant la vie, ciselées dans un bloc d'or pur. Une prouesse tendue vers un seul but : permettre aux énergies animales d'épouser l'esprit de celle qui portera la coiffe.

Alors que le forgeron s'apprête à ajuster cette merveille sur le front de son chef-d'œuvre, Athéna s'interpose avec un carré de mousseline qu'elle place sur la chevelure de la belle :

— Ne t'effraie pas de ce voile, la rassure-t-elle. Il sert à séparer ton jour de naissance du reste de ta vie. Tout ce que tu recevras aujourd'hui disparaîtra dans ton âme. Tu auras tout loisir de l'y retrouver... à condition que tu fasses l'effort de chercher. Les trésors doivent être hors d'atteinte de la banalité.

La jeune fille se laisse admirer par tous sans bien mesurer la portée de cette dernière confidence, quand Hermès, le voyageur des trois mondes, rejoint l'assemblée.

— Je m'en voudrais de ne rien t'offrir ! s'écrie-t-il en débarquant, les ailes de ses pieds encore poudreuses de son dernier périple.

» Je t'ai réservé la force de persuasion. Prends-la, c'est cadeau ! Tu l'utiliseras pour convaincre, plier les opinions, t'imposer. J'ajoute aussi la ruse, nécessaire dans toute négociation, et le mensonge. L'une ne va pas sans l'autre ! Qu'est-ce que j'oublie encore ? Ah oui, la fourberie ! Très utile, la fourberie... Et puis, une pincée de traîtrise pour faire bon poids. Pourquoi s'en priver ? Tu verras comme elle est efficace. N'oublie pas ceci : toute discussion est un combat, et si je mets ce réseau de chemins à ta disposition, c'est pour mieux te conduire à la victoire. À toi de choisir l'itinéraire qui te convient, jeune fille.

Pimpante dans ses habits neufs, la Splendide a fière allure, et les divinités mineures s'avancent à tour de rôle pour lui rendre hommage, l'examiner de près, lui offrant, qui des fleurs, qui des corbeilles de fruits, qui des bracelets, des babioles, des colifichets. Zeus attend que chacun ait remis son présent pour prendre la parole :

— Le meilleur pour la fin, ma chère. C'est à moi de te gâter.

La jeune fille papillonne des paupières, rougit, émue que le maître du monde lui offre une faveur supplémentaire alors que sa corbeille de vie déborde déjà de toutes sortes d'étrennes.

Il s'avance jusqu'à elle, la prend par la main, la fait virevolter, gracieuse, puis lui dit :

— Voici, c'est pour toi !

Une simple jarre de terre apparaît soudainement entre les mains du dieu, pareille aux milliers de celles que fabriqueront bientôt les potiers. Un matériau si humble, de la part du roi de l'Olympe ? Les immortels étouffent une exclamation de surprise, s'observent, scrutent les réactions de la créature qui, nullement

146

déçue, s'apprête à recevoir la jarre en prononçant ses premières paroles :

— C'est certainement pour me rappeler de quoi je suis faite, dit-elle avec une ingénuité de petite fille, et que je n'oublie jamais d'où je viens, ni ce que je dois à mes parents.

Sa candeur, sa voix de source enthousiasment l'assemblée des divinités. Les dons d'Aphrodite et des Grâces se déploient à merveille, se révélant des plus prometteurs.

— Bien pensé, ma chérie ! la félicite Zeus, surpris de son discernement. Mais, tu ne sais pas tout. Écoute ça !

D'un doigt, il applique une chiquenaude sur le col du récipient. Le matériau rend un son mat et plat.

— Normal, n'est-ce pas ? commente Zeus. Attends la suite, je n'ai pas terminé.

Il recommence. Même pichenette, au même endroit, mais la glaise du vase, au moment où le doigt la heurte, se transforme en or étincelant, et tinte.

— Magique ! s'amuse Zeus, facétieux. Comment ne pas t'offrir un cadeau qui te ressemble ? Toi aussi, tu es magique. D'ailleurs, cette jarre, ne t'étonne pas, c'est toi ! Oui, toi ! D'argile et d'or fin, ordinaire et divine. Je vais même te révéler un secret. Elle renferme un trésor, plus somptueux que tous nos cadeaux

147

réunis : ton génie !… Ton génie pareil à une capsule remplie de toutes les semences de ta vie, de tous tes chemins possibles, carrossables ou défoncés. Ils te conduiront où tu n'as pas idée, vers l'enthousiasme ou vers l'amertume. Où que tu ailles, souviens-toi, c'est toujours toi qui dérouleras le fil. Et pour que tu ne risques pas de perdre le contenu de cette jarre – sait-on jamais ? Une étourderie, un accident… –, j'ai verrouillé son couvercle. Tiens, prends-la, maintenant. Elle t'appartient.

Mais au moment où elle tend les bras pour la recevoir, Zeus se ravise brusquement :

— Mais où avais-je la tête ? Je ne t'ai pas encore dit qui tu étais ! Ton nom ! Sans nom tu n'es rien ! Alors, c'est bien simple, comme nous t'avons pourvue de tous les dons, tu t'appelleras Pandore[1] ! dit-il en articulant les deux syllabes. Qu'en dites-vous ? lance-t-il aux immortels. Pandore, ce nom lui va comme un gant !

Tous approuvent en acclamant la nouvelle-née, applaudissent, lèvent leurs coupes de Nectar et d'Ambroisie.

— Redescendons sur terre maintenant ! les interrompt Zeus, qui ne veut pas voir l'allégresse dégénérer

---

1. Du grec, *Pan* : tout et *dauréa* : don.

en fête. Allons présenter notre bijou aux hommes, et trouvons-lui un époux. Nous ne l'avons pas créée pour qu'elle demeure célibataire, quoi ! Elle s'abîmerait !

Pour le roi de l'Olympe, la création de Pandore n'est que le nouvel épisode d'un plan parti de très loin. C'est pour cette raison qu'il ne souhaite pas s'attarder. L'étape suivante est des plus délicates à négocier, voire cruciale.

— Iris, petit arc-en-ciel, file prévenir le Titan et son frère, poursuit Zeus sur le départ. Dis-leur de nous rejoindre à Mékoné !

12

Retour à Mékoné

Les hommes n'ont pas oublié le partage du bœuf, qui les a séparés des immortels. Les témoins de l'événement, en effet, avaient pris la précaution de le transmettre à leurs enfants pour qu'ils deviennent les maillons d'une longue chaîne de mémoire. C'est ainsi que le souvenir a voyagé dans le cœur des générations qui se sont succédé, protégé comme un trésor, en véhiculant une certitude : les Êtres des étoiles reviendraient un jour, précédés par un grand signe de feu, et, comme pour le partage du bœuf, leur visite trancherait le temps, délimitant un avant et un après. Un nouvel élan propulserait l'humanité. La vie en sortirait métamorphosée.

Aussi, voyant le ciel s'embraser et une mer de lumière rouler vers la terre, les éphémères comprennent que leur prophétie est en train de s'accomplir. Alors, quittant les montagnes et les vallées, leurs champs et leurs maisons, ils se laissent guider par le présage et se dirigent vers Mékoné, où ils se retrouvent par milliers.

La plaine est incandescente de la présence des dieux. La vibration de leurs palabres répand un poudroiement doré dans l'air cru, et le sol, parcouru d'un frisson, tremble. Observant la danse des hautes spirales de flammes où se meuvent des ombres, les hommes attendent, silencieux, se préparant à recevoir la révélation annoncée par leurs ancêtres.

*
* *

Tout l'Olympe est descendu en force, faisant bloc autour de son roi : la famille au grand complet, frères et sœurs, enfants, neveux, et la flopée des petits dieux, rejetés à l'arrière, qui se chamaillent pour avoir une place avec vue sur les Titans.

— Quel déballage d'altesses, cousin ! lance Prométhée en arrivant. Quelle pièce donnons-nous aujourd'hui, pour que tu aies convié tant de spectateurs ? Le jugement de Prométhée ?

— Si c'était le cas, il faudrait partager l'affiche avec ton frère. Car lui aussi fait partie de la distribution, même si tu n'as pas l'air de t'en rendre compte ?

— Détrompe-toi, je l'ai remarqué. Mais je me demande seulement s'il est ici comme acteur ou comme simple figurant ?

— Merci pour lui, il appréciera ! Je vois que tu es toujours aussi délicat. Décidément, tu n'as pas changé ! Tout de suite cassant, sur la défensive, soupçonneux... Pourtant, je suis venu avec les meilleures intentions : la paix !

— La paix ? En effet, tu es plein de bonne volonté, ironise Prométhée. Si je reste égal à moi-même, toi, en revanche, quelle évolution ! Parlons sérieusement, quelle sorte de paix ?

— Définitive, scellée par un traité ! Je trouve qu'il est temps d'effacer les vieilles rancœurs, de solder les contentieux qui traînent...

— Une mise au pas, autrement dit !

— Qu'est-ce que tu es fatigant ! soupire Zeus. Vraiment, il faut de la patience pour te supporter.

— Admettons ! On efface tout, la jalousie, la méfiance, les histoires de famille… Je suis partant ! Quelles garanties apportes-tu ?

— Comment ça, quelles garanties ?

— Tu as très bien compris ! La paix, pour qu'elle dure, chacun doit y trouver son compte. D'accord ? Alors, qu'est-ce que tu offres ?

— Ce n'est pas aux vieux singes qu'on apprend à faire la grimace, n'est-ce pas ! s'exclame Zeus en riant. Rassure-toi, je me doutais que tu poserais cette question, et je n'arrive pas les mains vides. J'ai là un chef-d'œuvre tel que tu n'en as jamais rêvé de semblable.

— Un seul ? s'offusque Prométhée. Pour mon frère et pour moi ? Tu es devenu bien radin ! Donc, tu comptes qu'on fasse moitié-moitié ? Excuse-moi, mais depuis un certain bœuf, je n'ai plus tellement le goût des partages.

Zeus, embarrassé, hésite avant de répondre, mais Épiméthée lui tend involontairement une perche, soudain intéressé par la tournure de la conversation.

— Zeus, si tu commençais par le montrer, ton chef-d'œuvre ? Vous trouveriez plus facilement un accord, Prométhée et toi. Enfin, je dis ça, je dis rien. C'est juste pour aider.

— Tiens, voilà des paroles sensées ! s'empresse de rebondir Zeus. Mais bien sûr, Épiméthée. Il suffit de demander. Le voici !

Il fait un signe à Athéna, et aussitôt un frémissement court parmi la foule des dieux. Une haie d'honneur s'ouvre dans leurs rangs pour livrer passage au cadeau vivant. Prométhée profite de cette diversion pour avertir son frère.

— Épiméthée, ne sois pas naïf. Méfie-toi de Zeus quand il fait des cadeaux ! C'est là qu'il est le plus dangereux. Il ne donne pas, il hypnotise. Il a monté un traquenard, et tu fonces dedans tête baissée.

Mais Épiméthée ne l'écoute pas. Une aurore transparente vient de se lever, et il reste ébahi. La Splendide est là, au premier rang de l'assistance, brillant de tous ses feux, gracieuse. Elle sourit.

Prométhée la remarque à son tour et se tait comme son frère, mais son silence fulmine.

— Une femme ! jure-t-il entre ses dents.

Il comprend alors la manœuvre de Zeus, la raison de sa présence ici accompagné d'Épiméthée. Il dissimule avec peine sa répugnance.

— Je te présente Pandore, cousin. Tout le monde a mis la main à la pâte pour la réussir. Elle est unique. Qu'est-ce que tu en dis ?

Épiméthée, fasciné, fait un pas en avant malgré lui ; pourtant voyant le visage sombre de son frère, il se ravise.

— Oui, Épiméthée, approche, ne te gêne pas ! s'empresse Zeus. Elle te plaît, on dirait.

Le Titan hoche la tête, subjugué, mais se contente de la dévorer des yeux sans bouger, se calquant sur son frère comme il l'a toujours fait. Prométhée est tendu. Le piège de Zeus se referme sur lui, et il ne voit aucune possibilité de l'éviter.

— Tu ne dis rien, Prométhée, l'aiguillonne Zeus. Elle ne te plaît pas ?

— J'ai déjà une femme[1].

— Ça n'empêche pas !

Des murmures agitent les divinités, derrière lui. C'est Héra qui proteste. Il reconnaît ses grognements.

— Il ne s'agit pas de l'aimer, reprend-il pour calmer son épouse. C'est un moyen que je t'offre. Avec elle, tu apporteras un nouvel essor à l'humanité. Tu vois que ma paix est honnête. Je ne t'attribue pas un rôle subalterne.

— Merci Zeus, mais les femmes, vraiment, je n'y tiens pas, insiste le Titan. J'ai fait l'essai et ça m'a suffi. Je préfère les hommes.

---

1. La Pléiade Célaeno, fille d'Atlas, mère de Deucalion.

— Oui, je sais. Mais si tu es un père attentif, tu ne peux pas tout faire. Ils ont besoin d'une mère, tes petits, d'un modèle de couple : masculin, féminin. Le feu appelle l'eau, faute de quoi il se dévore jusqu'à extinction. L'eau le préserve de lui-même, l'adoucit, tempère ses fulgurances. Tes hommes s'autosuffisent depuis que tu les as créés, je ne dis pas le contraire, mais à tourner en rond avec des créatures homogènes, l'humanité risque de se durcir, de dégénérer. Elle a besoin d'un renouveau, et les femmes sont les mieux placées pour favoriser cette évolution. Elle savent s'ouvrir, recevoir, rassembler, créer des liens…

— Justement, c'est ça le hic ! Les liens ! J'ai conçu les hommes à mon image, libres. Je ne veux rien recevoir, rien devoir. Recevoir, c'est entamer une relation, et tu te retrouves vite ligoté sans avoir vu venir le danger. Moi, je n'ai besoin de personne, je donne. Sans m'attarder, sans me retourner sur l'usage que l'on fait de mes dons… Et qu'on ne compte pas sur moi pour fournir des modes d'emploi. Alors, m'encombrer d'une femme… tu m'as compris !

Zeus sourit. Prométhée se comporte exactement comme il l'espérait, mais pour éviter de lui mettre la puce à l'oreille, il feint les regrets, tout en préparant un dernier coup.

— C'est dommage. Je croyais te faire plaisir en te proposant un défi digne de toi. Tu n'en veux pas. Tant pis ! Je suis déçu que tu le prennes avec une telle défiance. Mais, n'en parlons plus !...

Il fait semblant d'en avoir terminé, puis se ravise.

— Juste une dernière chose, et je cesse de t'ennuyer. As-tu pensé à l'accueil que tes créatures feraient à la mienne ? Non ? Regardons !

Prenant de court Prométhée, il réduit l'intensité du rayonnement qui éblouit les éphémères dans la plaine, afin que Pandore s'en détache, seule visible dans une amande de lumière. Tendus depuis des heures dans l'espérance d'un signe, les hommes voient dans cette apparition une récompense. Une clameur de joie unanime s'élève, mêlée de cris, de pleurs. L'être qui les regarde est d'une perfection absolue. Étincelante autant qu'ils sont nocturnes, elle leur sourit, et sa douceur qui les enveloppe d'un frisson lève une clarté dans leurs cœurs. Ils se sentent lavés, comme préparés pour une cérémonie. Déjà, ils ne sont plus les mêmes.

Certains, extasiés, la contemplent sans bouger, mais nombreux sont ceux qui voudraient la toucher.

Ils s'approchent, intimidés, se bousculant, l'appellent, cherchent à attirer son attention, à la retenir parmi eux. Mais peu à peu, le miracle pâlit, absorbé par l'incandescence divine qui reprend sa puissance, puis disparaît, laissant une mer de désappointements recouvrir la plaine.

De l'autre côté du voile, les dieux ne cachent pas leur satisfaction, surtout ceux qui ont contribué à la création de Pandore. Ils n'avaient guère de doute sur l'accueil que les hommes réserveraient à la Femme, mais ce test leur apporte la preuve éclatante qu'ils en ont besoin, et qu'ils ne pourront plus s'en passer une fois qu'ils y auront goûté. Prométhée, lui, se tait, plus sombre que jamais, mais Zeus n'a pas l'intention de le ménager.

— Édifiant, non ? suggère-t-il, du bout des lèvres.

Prométhée scrute Pandore. Derrière ses masques d'élégance et de finesse, il voit sinuer le désir, ses méandres de coquetterie, de bavardage, de passion sans limites pour la futilité. Un poids mort qui flatte la paresse des rêves, la langueur, la facilité...

— Tout ce que je ne supporte pas ! murmure-t-il avec dédain.

Zeus le voit se débattre dans la nasse qu'il a tressée pour lui, et, brutalement, lui assène le coup de grâce :

— Bon, décide-toi, cousin ! Tu la veux, tu la veux pas ?

— Garde-le, ton boulet ! hurle Prométhée. Tu ne crois pas que je vais accepter de me laisser plomber !

Il quitte l'assemblée, furieux contre lui-même de s'être laissé entortiller, furieux contre Zeus, et s'éloigne de cette mascarade, déjà tourné vers ses projets, fourmillant d'inventions qu'il veut élaborer sans tarder. Il ne voit pas la mine épanouie de Zeus, dont les yeux rient.

— Et toi, Épiméthée ? poursuit le maître du jeu, sans perdre un instant. Je ne voudrais pas avoir l'air de te fournir du second choix en te proposant le cadeau que ton frère m'a refusé, mais est-ce qu'elle te dit vraiment, Pandore ? Au point de l'accepter pour épouse, j'entends.

— Oh, Zeus… ! s'écrie Épiméthée, fou de joie. Tu la connais, ma réponse.

— Oui, je m'en doute, mais je voudrais que tu sois bien sûr de toi. Réfléchis ! Je n'ai pas envie de subir de ta part l'affront que vient de m'infliger Prométhée.

— Non, sois tranquille, Zeus. Avec moi, tu ne risques rien ! Oui, je la veux, Pandore ! Tu me combles. Depuis qu'elle est apparue, je rêve de la prendre dans mes bras. Je pourrais te la dessiner les yeux fermés, tant je l'ai observée, admirée. Je ne laisserai personne l'approcher. Je veillerai sur elle, je la protégerai, je nous organiserai une vie tranquille, un foyer sans histoires, dans la fidélité. Nul imprévu, nul danger ne fera pâlir notre bonheur. Dans notre famille, personne ne te décevra. Tu peux y compter. Nous formerons un couple modèle.

Zeus acquiesce en se délectant, puis se tourne vers la promise :

— Et toi, Pandore, est-ce que tu as envie d'Épiméthée, comme il a envie de toi ?

Pandore frémit de soulagement, baissant les yeux, les mains serrées sur son cœur. Prométhée l'impressionnait, la glaçait même un peu. Elle aurait dû l'avoir à l'œil sans cesse, lutter contre lui pour l'assagir, apaiser sa fougue, ralentir son pas, lui apprendre à ne pas toujours faire la course seul en tête, mais veiller à ne pas abandonner les hommes au bord du chemin. Une vie agitée, qui aurait exigé d'être toujours sur

161

la brèche, aux avant-postes à ses côtés. Exténuante ! Avec Épiméthée, rien de tout cela. Il lui a tout de suite inspiré confiance. C'est une vie de velours qui l'attend à ses côtés, sans orages, sans à-coups, avec un risque de monotonie peut-être. Mais elle a les moyens d'y remédier, en y apportant du piquant. Elle sait comment faire pour se l'attacher, le garder. Elle se sent par avance en sécurité avec lui. Elle aura les coudées franches pour le mener à sa guise.

Avant de répondre à Zeus, elle s'approche de son futur mari, d'un pas souple qui fait onduler son corps sous sa robe, prend sa tête à pleines mains, lui caresse le front, glisse un doigt léger de sa tempe à son menton, suit le tracé de ses lèvres en l'écoutant vibrer, puis, lui offrant sa bouche, s'abandonne en se laissant déguster.

Les immortels la contemplent en approuvant.

— Elle promet ! pense Aphrodite.

Alors, Pandore se retourne vers Zeus et lui jette un regard où perce sa décision :

— Oui ! dit-elle d'une voix réfléchie. Je le veux !

— Eh bien, soyez heureux ! répond-il avec un geste de bénédiction.

13

On va l'ouvrir !

Prométhée s'est retiré aux confins des galaxies, sur son système stellaire. Il s'affaire, il se hâte. La riposte de Zeus s'annonce. Il sent sa menace. Par trois fois, il a provoqué le Maître, bravé ses décisions, contesté ses plans : le bœuf, le feu, et maintenant la Femme, qu'il a écartée sèchement. Trois insultes causées par son orgueil de rebelle. Il ne regrette rien, même si l'Abîme, où les Titans pourrissent depuis leur défaite contre les Olympiens, l'attend ; le Tartare où il retrouvera son père, Japet, qu'il a trahi. Une rude confrontation s'annonce. D'ici là, il est libre, et il s'empresse de mettre ce répit à profit pour favoriser l'humanité renaissante.

— Comment évoluera-t-elle sous la houlette de ces guides ? vitupère-t-il, en revoyant Épiméthée et Pandore, confits de désir, tels qu'ils les a laissés. Épiméthée est incapable de prendre la moindre initiative, de tracer le moindre programme. Toujours réactif, jamais actif. Il saura analyser, raisonner, commenter, expliquer… Mais le feu de l'impulsion, mais l'enthousiasme qui arrache les énergies de la glaise, mais la conscience qui ose un premier pas dans la nuit, mais l'audace d'affronter les possibles, encore inertes, attendant le souffle d'une lueur ?…

Son agacement contre son frère stimule sa concentration. Des myriades de pensées s'enflamment autour de lui, transforment sa silhouette en brasier dont il projette les étincelles à travers les millénaires à venir : matrices d'inventions, germes de découvertes, ouvrant des chemins neufs, multipliant les itinéraires, concevant des scénarios qu'il nourrit de ses visions exaltées. Il visite les domaines de la connaissance qu'Athéna lui a offerts, les défriche, les prépare à céder devant l'ardeur des pionniers, ouvrant la voie au fer de lance de leur génie. Il voit la fourmilière humaine avide de nouveautés croître et s'affairer, creuser le sol, mettre au jour ses trésors de minerais, de métaux, et la terre, submergée par cette mer d'impatience, se laisser irriguer, puis lentement se métamorphoser. Il voit les hommes comprendre la matière, apprivoiser son énergie, remonter la piste de la vie jusqu'aux premières particules, se découvrir frères des étoiles. Ils volent sur les ailes de leurs pensées, leur existence tutoie les siècles, et le temps fond comme poignée de givre sous leurs doigts.

— Levez-vous, enfants ! Allez vers l'impossible, transgressez les limites, ne vous laissez intimider ni par les interdits, ni par les pouvoirs qui vous asservissent pour mieux se protéger ! Ne vous attardez pas sur le passé, allez à la rencontre des dieux ! Vous êtes de la même famille, imposez-vous à leur table, renversez-la. Vous en êtes capables ! Ils vous craindront et vous respecteront. Aventurez-vous partout où l'obscurité étouffe la lumière, brisez les éteignoirs, libérez le feu qui fulmine aussi en vous et faites-le remonter au Ciel.

*
* *

Pendant que Prométhée jalonne l'avenir et joue ses dernières cartes en dispersant ses réserves de munitions, Zeus regagne l'Olympe, suivi de sa smala, et les deux amoureux s'attardent sur la terre, la parcourant comme si elle était désormais leur domaine.

Pour eux, hélas, les dés sont jetés, et Pandore, qui a quitté le Ciel, n'est déjà plus la Femme éblouissante qu'elle était. En acceptant Épiméthée, elle a en effet renoncé, sans en mesurer les conséquences, à une partie d'elle-même. L'axe de sa vie s'est orienté vers un soleil moins flamboyant que celui auquel elle était destinée, et les dons offerts par les dieux en ont instantanément pâti. Si elle demeure incomparablement belle, son éclat s'est atténué, sa légèreté a perdu ce qu'elle avait d'ineffable, son grain de folie. Elle parle parfois sans réfléchir et rit pour un oui pour un non. Aux petits soins pour son époux, elle le cajole, s'inquiète à tout propos de son confort, le couve, le taquine. Épiméthée, lui, se laisse choyer et s'accommode joyeusement de ce régime. Il s'émerveille d'avoir une compagne si attentionnée, mais ronronne à vide, comme la meule d'un moulin qui a peu de grain à moudre. Alors, il s'adonne à ce qu'il maîtrise par-dessus tout, le passé. Il narre à sa belle les exploits de sa campagne contre les Titans, fait ronfler la bataille, se tresse une auréole, présentant la réalité à son avantage.

— Cela n'a pas été facile, tu sais, de tourner le dos à ma famille : une décision terrible. Mais quand je pense au châtiment des vaincus, je ne la regrette pas le moins du monde. Si j'avais fait le mauvais choix, je ne serais pas là à te conter cette époque où l'univers a tremblé. Je n'arrive toujours pas à comprendre Atlas et Ménoetios. Quelle idée ont-ils eue aussi de se frotter à Zeus ! Il était taillé pour vaincre, ça sautait aux yeux ! Prométhée était de mon avis. D'ailleurs, ni une ni deux, nous nous sommes engagés ensemble, d'un même élan, du côté de l'Olympe. Si tu avais vu quel duo nous formions ! Lui créait des projectiles, puis il me les passait. Je les armais en leur donnant un nom – fondamentale, cette opération –, et *bang* ! il tirait. Aussitôt, il me passait de nouvelles munitions, et tout recommençait. Je nommais, et *bang*, et *bang*, il faisait feu ! Notre fabrique fonctionnait à plein régime. C'était détonant !

Blottie contre son héros, Pandore vibre de ses exploits et se laisse transporter dans le fracas de la bataille, dilatée d'admiration.

— Mais assez parlé de moi, s'interrompt soudain Épiméthée dont la réserve de prouesses est déjà vide. Et toi ? Ton enfance, ta vie ? Raconte, je veux tout savoir.

Pandore s'étire, engourdie de bien-être, et s'allonge en attirant son époux à elle.

— Je n'ai pas grand-chose à dire, répond-elle avec une moue qui donne envie à son mari de l'embrasser. Je suis trop jeune. Tout juste démoulée…

Ils sont installés sur un rivage doré, où ils ont fait halte au cours de leur périple à travers la terre. Ils rient.

— C'est vrai, insiste-t-elle en lui prenant la main. Touche ! Ma peau est encore humide… Tu sens ?…

Humide, tiède, croquante, tel un flocon sous la dent, soyeuse, festonnée de nacre… Épiméthée, guidé par Pandore, explore la surface de son épouse comme s'il cartographiait un continent vierge, attentif, curieux de tout, cataloguant ses ressources, inventoriant ses richesses. Pandore se prête à cette reconnaissance et encourage son compagnon dans sa découverte. Son cœur s'emballe et la chahute, heurte ses parois sonores et fait chanter son corps.

— Pas grand-chose à dire ? chuchote Épiméthée, emporté par ce galop. J'entends quelqu'un, là, qui n'est pas de ton avis. Un grand bavard qui ne demande qu'à parler, tant il en sait sur ton compte. Est-ce que tu me cacherais quelque chose, mon amour ?… Un secret, peut-être bien… Allons, délivre-le. Il sera moins lourd à porter.

Pandore, hésite, le visage empourpré, humecté de perles de rosée.

— Oui, c'est un secret ! exulte Épiméthée qui la sent mûrir sous ses caresses. J'en étais sûr !

Elle rit. Elle a pris sa décision.

— Bon, puisque tu y tiens… lui cède-t-elle en se redressant. Oui, tu as deviné. J'ai bien un secret, et je vais le partager avec toi.

Elle réfléchit, se remémore l'Olympe, la lumière immaculée dans laquelle elle est née.

— J'ai été très gâtée, tu le sais, commence-t-elle. Mes parrains et mes marraines m'ont offert des cadeaux spécialement fabriqués pour moi. Tu les connais. Mais il y en a un que tu n'as jamais vu. Le plus mystérieux de tous. C'est mon double. Zeus me l'a dit : « C'est toi. Il renferme ton génie, tous tes chemins, toute ta vie. Prends-en soin ! Il sera ce que tu en feras. »

Soudain, elle se lève, pâle, le souffle coupé, le visage défait.

— Mais… qu'est-ce que j'en ai fait ? Épiméthée… je l'ai perdu !

Elle éclate en sanglots, se recroqueville comme si elle redevenait une boule de terre sèche abandonnée par le potier. Épiméthée la prend dans ses bras, la raisonne.

— Voyons, réfléchis ! Tu ne l'as pas perdu.

— Si, je ne fais attention à rien... Je suis une idiote...

— Mais non...

— Je ne mérite pas ce qu'on m'a donné...

— Mais si... Allons, ne t'inquiète pas. On va le retrouver. Si tu m'en disais un peu plus sur ce cadeau, je pourrais t'aider à le chercher. Qu'est-ce que c'était ?

— Une jarre ! Une jarre magique !...

— Une jarre magique ? Ah !... Et où étais-tu quand tu l'as vue pour la dernière fois ? Essaie de te souvenir.

— Je sais plus...

— Fais un effort.

Encouragée par Épiméthée, elle finit par se res-saisir.

— Zeus me l'a tendue, je me suis approchée... se remémore-t-elle. Et qu'est-ce qu'il s'est passé ensuite ?... Ah oui, il m'a dit comment je m'appelais, et les dieux ont applaudi. Puis on est tous descendus sur la terre. Tout le monde riait, j'étais émue, je ne savais plus ce que je faisais, je n'ai plus pensé à ma jarre... Elle était apparue d'un seul coup entre ses mains... Peut-être qu'elle est repartie comme elle est venue...

— Bon, première chose : si tu ne l'as jamais tenue, tu ne peux pas l'avoir perdue. C'est peut-être Zeus qui l'a rangée.

— Mais où ? Sur l'Olympe ? On ne peut pas y remonter.

— Alors, il n'y a qu'un endroit possible ! Sur terre, en arrivant.

— À Mékoné ?

— À Mékoné, oui ! Le mieux, c'est d'y retourner.

Pandore a séché ses larmes, repris confiance grâce à Épiméthée, et ils regagnent rapidement la plaine où ils se sont rencontrés. La jarre est bien là. Ils la découvrent en arrivant. Ils la devinent plutôt au monticule qu'elle forme, car elle est enfouie dans le sol.

La terre est légère. Épiméthée n'a aucun mal à la déblayer et il ne tarde pas à dégager le couvercle, puis le col.

— C'est elle ! s'écrie Pandore.

Folle de joie, elle s'agenouille aux côtés de son mari, creuse avec lui, impatiente. La jarre, de taille modeste, est bientôt entièrement découverte.

— C'est ça, le fameux présent de Zeus ? s'étonne Épiméthée, en se relevant. C'est une poterie, quoi ! Ni plus ni moins.

— Oui, mais particulière, corrige Pandore, toute frétillante. Magique, je t'ai dit ! Sors-la, je vais te montrer.

Avec précautions, Épiméthée extrait le pot de sa cavité et le place devant sa propriétaire.

— Regarde bien... Écoute, d'abord !

Elle donne une pichenette sur la jarre, comme Zeus l'avait fait, et au même endroit.

— Ça sonne le creux, constate Épiméthée. Comme une amphore vide.

— Aucun doute là-dessus ! approuve Pandore, préparant ses effets comme une prestidigitatrice. Maintenant, attention...

Elle frappe une deuxième fois, et la terre rend le même son creux.

— Bizarre ! murmure-t-elle, en fronçant les sourcils.

— Quoi ? Qu'est-ce que tu attendais ? C'est bien toujours la même jarre !

— Oui, c'est toujours la même... Mais non ce n'est plus la même, en fait. Tu comprends ?

— Pas très bien !

Elle soupire sans lui répondre et toque à la jarre une troisième fois. Sans plus de réussite.

— Mais c'est fou ! s'écrie-t-elle, exaspérée. Elle ne fonctionne plus comme au Ciel. En principe, elle devrait tinter, étinceler comme de l'or, parce qu'elle est à la fois terre et or. C'est Zeus qui me l'a dit. Il me l'a montré même, et je l'ai vu, tu entends, de mes yeux vu ! Elle est détraquée ou quoi ?

— Bon, ça ne sert à rien de s'énerver, la rassure Épiméthée. On va l'ouvrir, on verra bien ce qu'elle a dans le ventre.

— Oui, tu as raison. Allons-y !

Alors qu'Épiméthée s'apprête à tourner le couvercle, elle l'arrête.

— Attends… Il vaut peut-être mieux que ce soit moi.

— Oh, bien sûr, ma chérie ! Fais-le, toi. C'est préférable.

Le bouchon est dur. Pandore se souvient que Zeus l'avait scellé pour en protéger le contenu : son génie.

— Trop serré ! renonce-t-elle, essoufflée. Essaie !

— D'accord, mais pas l'un sans l'autre ! répond-il. Cette jarre, puisque c'est toi, c'est comme si on t'ouvrait… Joins tes mains aux miennes.

Elle accepte, et, leurs doigts emmêlés, avec de tendres précautions, ils forcent doucement sur l'argile qui cède dès leur première tentative avec un léger bruit de déchirement. Ils sourient, sans oser crier victoire tant ils sont émus, puis à nouveau insistent.

— Regarde, murmure Pandore, encore retenue par la prudence, ça vient...

L'orifice se libère, et soudain une pression accumulée à l'intérieur de la jarre fait sauter l'opercule. Ils espéraient de l'or, des tintements cristallins, et c'est une nuée lourde qui se déploie, obscure et criarde. Des insectes volants aux corps recouverts d'une carapace, à la forme cauchemardesque de petits Épiméthées et de petites Pandores, qui se jettent sur eux en crissant. Pris au dépourvu, les deux époux n'ont pas le temps de se protéger. Ils sont harcelés, pincés, piqués sur tout le corps, et chaque blessure leur communique une douleur inconnue, qui prend possession d'eux comme si elle s'installait dans leur vie à jamais. Vieillesse, Travail, Maladie, Folie, Vice, Passion, tels sont les nouveaux locataires, avec lesquels ils vont devoir cohabiter. Alors que ces parasites s'élèvent en tourbillonnant dans les airs, pour se répandre à travers toute la terre à la conquête des communautés d'hommes, Pandore, qui voit une dernière bestiole s'approcher de l'ouverture en ricanant, prête à quitter la jarre à son tour, lui claque la porte au nez.

— Tu restes, toi, sale bête ! lui crie-t-elle en rabattant le couvercle.

Elle l'entend protester, puis à nouveau l'insecte recommence à ricaner. C'est son nom qu'il stridule en grinçant : Espérance...

Pandore, ébahie, considère les cloques qui recouvrent sa peau :

— Qu'est-ce que j'ai fait ? se demande-t-elle en se grattant, complètement dépassée. Qu'est-ce qu'il m'arrive ?...

Et elle entend dans son cœur les paroles de Zeus au moment de la remise de la jarre : « *Ton génie... Les semences de ta vie... Tes chemins possibles... Amertume... C'est toujours toi qui dérouleras le fil.* »

— Je me suis trompée de route. Mais où ?... Quand ?... Je n'ai rien vu, se désole-t-elle, semblable à son époux qui comprend le sens des choses une fois qu'elles sont passées. Je n'aurais pas dû ouvrir. Si j'avais su...

Elle se jette en larmes dans les bras d'Épiméthée, lui aussi gagné par la démangeaison.

— Tranquillise-toi, va, la console-t-il. C'est la vie. On ne peut jamais savoir ce qui nous attend. On peut juste s'en accommoder, au fur et à mesure. Et s'adapter… On va y arriver !

*
* *

Zeus les regarde s'éloigner vers leur destinée. Pendant qu'ils ouvraient la jarre, il a peaufiné son plan de neutralisation de Prométhée, envoyant Hermès et Héphaïstos, accompagnés de Bia, la vigoureuse fille de Styx, le capturer. Le rebelle n'a fait aucune difficulté. Il savait qu'il ne pouvait échapper à la vindicte de l'Olympe. Il s'est seulement rebiffé en découvrant que ses gardiens ne le conduisaient pas dans le Tartare comme il s'y attendait, mais au sommet du Caucase. C'est là qu'Héphaïstos le forgeron l'enchaîne, totalement nu.

— C'est à ça que tu utilises ton feu, monstrueux bancal ? l'apostrophe Prométhée. Forger des entraves pour m'empêcher d'aller de l'avant !… Et toi, Hermès, messager des dieux, qu'est-ce que tu es d'autre qu'un petit commissionnaire, second couteau à ses heures, et nettoyeur quand on lui en donne l'ordre ! Tu m'entends, Trois fois Grand ? Les voilà, tes trois vraies fonctions ! Et cette Bia pour vous accompagner… Aussi chienne que sa mère ! Vous aviez donc si peur de moi ?

Nul ne répond à ses provocations, mais quand ils sont tous trois sur le point de s'en aller, après qu'Héphaïstos a fixé les derniers scellements, Hermès conclut :

— Garde ton souffle, Prométhée, tu vas en avoir besoin ! À force de chercher Zeus, tu as fini par le trouver. Il t'a concocté un séjour en altitude d'où tu pourras assister au spectacle de l'évolution du monde. Il t'a gâté. Trente mille ans ! Du sur-mesure. Et pour que tu ne t'ennuies pas, il t'a prévu un compagnon. Mais toi qui anticipes tout, tu sais sûrement de qui il s'agit. Non ?… Tu n'en as pas idée ? Patiente, il ne va pas tarder. C'est l'aube qui te l'amènera, et vous aurez tout le temps de faire connaissance.

Bia, la dernière à partir, ne peut s'empêcher de narguer Prométhée, qui a insulté sa mère.

— Héphaïstos t'a choisi du… titane ! lui lance-t-elle, en désignant ses chaînes. Inoxydable ! J'espère que tu apprécies ?

Prométhée se jette sur elle, mais ses liens le ramènent contre la paroi. Bia l'esquive et se campe un instant devant lui, hors de sa portée, avant de disparaître en riant.

PARTIE 3

LE CHÂTIMENT

PARTIE 3

LE CHÂTIMENT

14

J'ai eu raison !

Prométhée accuse le coup. Il n'espérait aucune indulgence de Zeus, mais trente mille ans !... Trente mille !... Il hurle ces mots, les écoute résonner long-temps, écho de la vengeance olympienne, gronder à l'infini, charrier sa colère, prenant à témoin les sommets, les vallées qui sinuent dans l'obscurité de la terre, propageant la révolte de son être bafoué, encore et encore, jusqu'au tréfonds du monde ! Trente mille ans, non, il ne s'attendait pas à un tel châtiment ! Quant à ce compagnon annoncé par Hermès, de qui peut-il s'agir ? Du pire qui soit, forcément, car Zeus ne peut faire appel qu'au pire pour réprimer celui qui refuse de plier le genou devant lui !

Ses tortionnaires ont profité de la nuit, pareils à des malfaiteurs, pour exécuter les basses œuvres de leur maître, et l'obscurité a couvert leur retraite.

Prométhée enrage d'impuissance. Même s'il sait son geste dérisoire, il bande ses muscles, tire sur ses chaînes, s'arc-boutant sur la corniche où il est prisonnier, comme espérant fissurer les scellements, ébranler le roc, et remorquer Gaïa tout entière, telle une bête de trait, pour l'emporter dans les lointains de l'univers, à l'abri de l'impitoyable tyrannie de Zeus, en se frayant un chemin parmi les étoiles.

Le métal laboure ses chairs, mais la montagne impassible ne tremble ni ne frémit. Pourtant, sur le fil de l'horizon, une lueur qui semble compatir rafraîchit la pénombre. Une brèche de clarté s'ouvre. C'est l'aurore qui entaille le ventre des ténèbres. Le jour se lève, mais son regard est glacial. Il apporte le doute et déroule un vertige. Les oiseaux, qui s'apprêtaient à célébrer la lumière, retiennent leurs chants. Un cri jaillit alors, tombant du zénith, et traverse le silence pâle. Un souffle glisse dans les hauteurs, compose en chuintant une mélodie perçante, plane longuement, amoncelant les nuées pour les dissoudre et lustrer le miroir du ciel.

Prométhée perçoit ces signes et se raidit dans son carcan de métal.

— Mon compagnon ! grince-t-il. Le voilà !

C'est alors qu'il le découvre, silhouette noire dans l'incandescence du levant.

— Zeus ! hurle-t-il, dans un sursaut de rage. Tu m'envoies ton charognard !

C'est un aigle, dont les ailes embrassent le firmament de l'orient à l'occident. À la verticale du Caucase, il tournoie, imposant son vol impérieux, puis fond sur sa proie et prend possession des lieux du supplice, comme un défricheur s'installe sur une terre pour l'amender.

Tête haute, il considère l'insoumis qui le toise, et de son œil infaillible localise le siège des rébellions. C'est le foie. Il flambe, et devant la violence de l'incendie, le rapace entreprend aussitôt de l'étouffer sous la douleur. Son bec se jette sur la chair, pince, incise, arrache un lambeau, puis un autre, échancre la plaie comme effeuillant une fleur sanglante, pour mieux y engouffrer la tête. Impuissant, Prométhée se cabre, se tortille, frappe de la tête, trépigne, et l'Aigle pour l'immobiliser, croche ses serres dans sa poitrine et dans ses cuisses afin de continuer son ravage, debout sur sa victime, insensible à ses ruades et à ses cris.

— Zeus, pitoyable lâche ! hurle Prométhée, prenant appui sur le mal qui lui vrille les entrailles. Tu as toujours évité de m'affronter !... Un duel face à face t'effrayait. Tu n'étais pas sûr de me vaincre. Tes conquêtes, tu les as enlevées en biaisant. Roi du monde, roi du double-jeu... J'ai choisi ton camp contre les Titans, tu l'as oublié ?... Et les Géants, dis ? Sans moi, tu serais toujours à ferrailler contre eux, et ton trône vacillerait sous leur furie !... Tu as la mémoire courte, maître d'illusion. Tu n'es grand que de tes mensonges ! Descends de ta retraite ! Tu te caches comme un rat peureux... Ose te mesurer à moi, à la loyale ! Et impose-toi vraiment !

Zeus entend, mais n'a pas l'intention de répondre. La rééducation commence à peine.

« Faut-il que je l'aime ! pense-t-il, pour m'entêter à le sauver malgré lui. L'empêcher de gâcher ses qualités... Sa route sera très longue. »

L'Aigle pioche et ouvre la plaie. Il s'y plonge jusqu'aux épaules, lubrifiant de sang ses plumes et sa tête ébouriffée. Lorsqu'il atteint le foie, le vrai festin commence. Le premier coup de bec est intolérable. La douleur, fulgurante, électrise le corps de Prométhée qui suffoque et résiste en s'agrippant à ses chaînes. Sa plainte explose dans l'azur pendant que son bourreau se délecte, le bec maculé d'une purée de chairs tièdes.

— Tu pleurniches comme une femme ! se moque-t-il en mâchouillant, avant de s'enfouir dans les viscères pour reprendre une becquée.

Prométhée regimbe sous l'insulte.

— Profite que je suis attaché, viandard ! Et garde tes distances. Si tu t'approches, je te broie la tête d'un coup de dents !

D'une patte, l'oiseau fait taire sa victime en lui écrasant la tête contre la paroi, puis il reprend son dépeçage, qu'il prolonge avec méthode jusqu'aux premières cendres du crépuscule. Au moment où le char d'Hélios disparaît derrière les cimes, il déserte la montagne, abandonnant Prométhée, béant. Du foie presque entièrement dévoré, il a pris soin de laisser subsister un germe vivant.

Le bourreau a disparu, mais le lieu du supplice reste habité par sa présence, et son odeur fauve, mêlée à celle du sang, de la charpie de chair, se laisse lentement dissoudre par l'air propre de l'altitude.

Le condamné, hagard, soubresaute. Son corps se contracte, continuant de subir les assauts du bec qui ne déchire plus. La nuit recueille ses râles et les disperse, puis déroule l'humidité du silence. Prométhée est nu, pareil à un nouveau-né infirme que le père honteux a préféré servir aux bêtes. Il sent la présence de son juge.

— Qu'est-ce que tu attends de moi ?... délire-t-il. Me voir déchirer mon ancienne vie ?... Tout recommencer pour te plaire ?... Rentrer dans le rang, accepter l'esclavage de l'ordre...

Il grimace. Il est seul, cloué à la montagne abrupte. Vertigineuse contrainte ! Comment peut-il s'en accommoder, lui, le jaillissement, l'infatigable éveilleur qui fait fleurir le vide... Il gît, écartelé sur le rocher froid. L'ablation de son foie a fauché tous ses élans, brouillé ses visions, apporté la confusion dans son esprit. Futur ? Avenir ? Des silhouettes se dessinent, qu'il ressasse comme celles d'amis anciens, dont il ne parvient plus à retrouver les noms. Son génie est en train de le quitter.

À mesure que les heures s'écoulent, cependant, une effervescence fourmille dans son ventre. Le germe, mis en réserve par l'Aigle, bourgeonne. Son foie se régénère, et la plaie de l'abdomen se referme. Sa vitalité revient, et sa volonté de lutter, et sa haine de Zeus, dont la duplicité lui apparaît, éclatante. Il se remémore les trois pièges que l'Olympien lui a tendus.

— Tout a commencé par le bœuf ! gronde-t-il, comme à ses beaux jours de rancœur. J'ai fait le jeu de Zeus en séparant mes hommes des dieux. Et non content de cette faute, je suis monté leur décrocher un fragment du soleil. Croyant leur rendre service, je les ai enfermés à tout jamais dans leur faiblesse humaine. Quel cadeau ! J'ai compromis leur évolution. Je les ai trompés.

Son exaspération se ranime et s'embrase à mesure que son foie se reconstruit.

— Pourtant, se reprend-il, c'est mon feu qui leur convient le mieux, maintenant qu'ils sont coupés du Ciel. Donc j'ai eu raison ! Tu entends Zeus, j'ai eu raison ! Et ta colère était calculée comme un appât, où j'ai mordu !

Il martèle ses griefs, amer d'avoir été manipulé, hors de lui de s'être laissé entraîner dans un duel truqué, où il n'avait aucune chance de s'imposer. Et pour parachever la machination, Pandore ! Il la revoit, affriolante, marionnette agitée devant ses yeux par Zeus qui s'apprête à lui porter l'estocade pendant que la cour olympienne, jubilant d'assister à la défaite du Titan, se régale. Quelle farce !

— Ta poupée continue de me répugner, cousin ! Ne crois pas... Juste bonne pour mon frère. Je ne regrette rien. Je ne changerai jamais d'avis. J'ai eu raison ! martèle-t-il à nouveau.

La nuit se consume ainsi, réparatrice, mais houleuse et rancunière, puis l'aube vient l'effacer pour ouvrir les portes du ciel. Lorsque paraît Hélios, l'Aigle, qui précède son char, atterrit sur la vire pour continuer d'administrer sa leçon.

— Toujours aussi vindicatif, constate-t-il en retrouvant son indocile détenu.

Ce dernier s'est raidi, farouche, prêt à affronter ce nouveau jour de supplice, et le rapace se jette sur lui, hargneux et précis, frappe en rafales sèches, se dégageant en hâte un champ opératoire pour atteindre rapidement le foie.

Plus lancinante, la douleur, d'être connue et redoutée. Pelé, Prométhée résiste à la fouille, tente de faire lâcher sa prise à l'acier du bec, se trémousse, entraîne dans son agitation l'oiseau géant suspendu à son ventre. Celui-ci, déséquilibré, bascule, puis se stabilise par de hargneux battements d'ailes, arrachant aux parois des avalanches de pierres, qui propagent à travers les versants le fracas de ce monstrueux corps à corps.

Lacéré, le combattant s'épuise, et, à mesure que son foie se réduit, cède peu à peu, pour s'abandonner, exsangue et pantelant.

Les heures passent, effarantes, jusqu'au soir qui apporte son refuge de solitude et tire la fraîcheur de la nuit sur le ravage. Affalé dans une boue de chairs sanguinolentes, respirant à peine, Prométhée aperçoit, à travers ses paupières à demi closes, l'Aigle qui s'apprête à le quitter.

— Je ne céderai pas, balbutie-t-il. Dis-lui bien, à ton Maître, une fois au chaud dans ton luxueux nid de l'Olympe, larbin : je ne céderai pas !

L'Aigle se ravise.

— Trente mille ans, Prométhée ! Tu ne tiendras pas trente mille ans à ce régime ! Réfléchis.

— Merci de ton conseil. J'ai des millions de nuits devant moi.

— Tu ne réfléchis pas. Tu tournes en rond, en te donnant le beau rôle. Tu t'apitoies sur toi-même. Réponds donc à cette question : pourquoi Zeus t'a-t-il capturé ?

— Parce que je suis un danger !

— Mauvaise réponse. Je reformule ma question : qui t'a enchaîné ?

— Le général a décidé, les fantassins ont obéi !

— Réfléchis encore ! répond l'Aigle en s'envolant.

15

L'Aigle fait sa leçon

Les jours succèdent aux nuits, puis les années aux années, et les siècles aux siècles, avec la même alternance de saccage et de reconstruction. Les premiers millénaires d'immolation s'écoulent ainsi, immuables, dans l'affrontement et la rage. Chaque matin, précise, l'aurore ouvre le théâtre de la justice de Zeus, chaque soir, le crépuscule signe la fin de la représentation, et la nuit crépite de bilans fiévreux.

Sur son îlot de souffrance, Prométhée n'en finit pas de cahoter.

L'Aigle vient de se poser. Il ébroue les fragments de ciel suspendus à son plumage et se rassemble. Ses grandes ailes font crisser le roc, arrachent pierres et lichens en se repliant. Il endosse ses vêtements de Terre. D'un coup d'œil, il considère l'état de son chantier, et voit que la nuit a revigoré les révoltes, ranimé l'illusion de vaincre.

— Aucune amélioration ! juge-t-il, froidement.

Son premier coup de bec frappe droit dans l'arrogance, et le harcèlement de l'élève par le maître reprend, plus farouche.

Prométhée résiste, contient la douleur qui s'accumule, puis soudain la libère, et le Caucase vacille sur sa base.

Une nouvelle fois, les viscères sont mis à nu et le foie se retrouve l'objet de l'attention méticuleuse du chirurgien, qui le dépèce miette à miette, puis le goûte longuement.

— Depuis le temps que je te picore, Prométhée, je connais chacune de tes saveurs. Je peux te dire exactement où tu en es. Si tu mûris ou te scléroses, si ton cœur se réchauffe ou s'il demeure en cage, rocailleux et sur la défensive.

Soudain, il se jette sur la poitrine du prisonnier.

— Le moment est venu que tu fasses connaissance avec lui, non ?

Il lui fend le thorax d'un violent coup vertical, en assène un autre, horizontal, découpant une croix, puis, décollant la peau, il écarte les poumons et met le cœur à nu.

— Le voilà, celui que tu persécutes ! Observe-le ! Il te parle et tu ne l'écoutes pas !

Prométhée grimace, cherche à esquiver et grogne :

— Rien de bon à en tirer !

— Que tu dis !

De sa griffe la plus acérée, l'Aigle érafle la surface du muscle, ouvrant un sillon où le sang perle et s'égoutte. Prométhée tressaille, électrisé.

— Sensible, n'est-ce pas ? Regarde, je l'ai à peine effleuré et il pleure. Tu en as peur, c'est ça… Tu redoutes ce qu'il sait de toi… De cette part maintenue dans l'ombre, que tu as toujours réprimée.

L'Aigle se tait et reste immobile, laissant Prométhée en tête-à-tête avec son cœur, stupéfait de découvrir cet étranger qu'il héberge, désorienté par les inflexions de sa voix, tellement subtiles qu'il ne les comprend pas. Le silence se déploie, haletant, et le rapace, maître du jeu, observe le malaise gagner son prisonnier jusqu'au désarroi, avant de lui venir en aide.

— Cette première rencontre est concluante, mais elle a assez duré, dit-il. Je poursuis ma dégustation. D'accord, Prométhée ?

Il s'empare alors d'un nouveau morceau de foie et le mastique avec attention, cernant ses propriétés :

— C'est métallique. Très affûté... soutenu par une note glaciale caractéristique... Tu reconnais ? C'est ta solitude. L'isolement splendide que tu cultives, ta certitude d'être unique, incomparable... Tu planes, tu domines. Tu es un aigle à ta manière, sauf que tu n'atteindras jamais le zénith. Tu manques trop de légèreté et de souplesse. Tu sais pourquoi ? L'ambition ! Tu en es bouffi, et cela te raidit. Ah non, tu n'as pas besoin de femme pour te plomber ! Tu y réussis parfaitement tout seul.

Prométhée rue dans ses liens, renâcle. L'allusion à Pandore le brûle comme du vinaigre.

— Inutile de protester ! Tu sais bien que j'ai raison... Et puis, assez ergoté, poursuivons.

L'oiseau engloutit sa bouchée, en pioche une deuxième, et fait la moue.

— Âpreté et amertume... fait-il en claquant du bec. Le goût du fiel ! Typique de celui qui feint de mépriser la reconnaissance, mais qui en rêve secrètement. Tu dédaignes les honneurs, tu affiches ton refus d'en croquer, mais tu espères tellement qu'on va t'en offrir à déguster... C'est tout toi, Prométhée, ne dis pas le contraire. Toi, replié au sommet de ton donjon d'orgueil, drapé dans ta fierté ! Toi, concoctant les projets qui affirment ton originalité, ton mépris de la banalité, et furieux de ne pas être considéré. La voilà, la source de ta révolte ! C'est là que le rebelle se niche, érige son rempart pour se couper des autres ! Vue des coulisses, ta rébellion n'est pas si noble que tu crois. Elle est poivrée de frustration !

— Tu es fou, l'Aigle ! Je ne veux pas régner. Tu entends : JE NE VEUX PAS ! Je ne cherche ni pouvoir, ni royaume !

— En effet, tu en serais bien embarrassé ! s'esclaffe son partenaire. Si tu étais roi, tu devrais diriger, convaincre, donc te soucier de tes sujets, rendre tes fulgurances accessibles, au moins à quelques-uns, qui les comprennent, les développent. C'est hors de ta portée, tout simplement ! Quant à te confronter au quotidien, transformer tes idées en applications, surveiller leur fonctionnement... Tu t'imagines, cerné par ces contraintes ? Tu es totalement inapte à la réalité, admets-le ! Toi, tu préfères le grandiose : fixer les caps, explorer les brouillards cosmiques pour en extraire des modèles pour demain, écouter vrombir ton génie, puis t'échapper en invoquant ta liberté et revenir à l'occasion te faire admirer, mais surtout contester, protester, harceler... Non, tu n'es pas fait pour régner. Tu exiges que l'on te croie sur parole, en refusant de rendre des comptes. Prométhée paraît, applaudissez, s'il vous plaît !

— Et les hommes ! s'insurge le Titan contre la violente charge de l'Aigle. Prétends que je les ai abandonnés ! Ose dire que je ne me suis pas inquiété d'eux quand les batailles olympiennes ravageaient l'univers ! Que je n'ai pas pris soin d'eux, n'ai rien tenté pour les propulser vers l'avenir !

— Justement, puisque tu abordes le sujet, parlons-en !... Mais permets d'abord que je me resserve.

Il arrache une nouvelle portion de l'organe, trop vivement, tranche l'artère d'où jaillit un flux de sang chaud et vermeil.

— Voilà ce qu'il nous fallait ! s'exclame-t-il en sirotant le liquide. De la liqueur de vie, de l'amour brut... Tu vois qu'on finit par en trouver en toi ! Il suffit de fouiller au bon endroit. Et c'est moi qui t'indique où creuser ! Tu ne te connais pas si bien... De vastes parcelles de toi demeurent en friche. Tu gagnerais à les mettre en culture.

— Je ne t'ai pas attendu pour aimer mes créatures !

— Touché, tu marques un point ! Oui, Prométhée, tu les aimes. Mais de loin, comme on aime un principe, froidement, sans effusion… C'est un prototype d'homme que tu as inventé. Un homme façonné à ton image, pensé pour qu'il se suffise à lui-même, se reproduise sans l'aide de personne. Ton portrait ! L'humanité que tu as conçue était inachevée, terriblement désespérée. Il a fallu que Zeus s'en mêle et parachève ton projet.

— Je lui ai donné la liberté, l'étincelle qui enflamme l'enthousiasme ! L'élan pour gravir l'Olympe et se mesurer aux dieux ! Et Zeus l'a réduite en esclavage.

— Toujours ton même refrain ! objecte l'Aigle avec lassitude. Te mesurer, régler tes comptes avec Zeus ! Ta vieille obsession ! « Levez-vous, enfants ! Transgressez, ne vous laissez pas intimider… Les pouvoirs vous asservissent… Ne vous attardez pas sur le passé… Renversez la table !… » Des incantations, tout ça ! Des lubies ! Tu espères vraiment que les hommes réussiront où tu as échoué ? Tu sais exalter, galvaniser, mais tu n'ouvres aucune voie rigoureuse. Des impulsions foudroyantes, c'est entendu, mais instables. Tu n'expliques rien, tu n'enseignes rien, tu ne dispenses aucune formation. Tu jettes des idées, improvisant au gré de ton inspiration. Quel exploit !

197

Tu te dis généreux, mais tu abandonnes l'humanité à elle-même, vaille que vaille, à la merci du hasard. Tous les marchands d'illusions en font autant.

» Retourne-toi donc, et considère l'état de l'héritage que tu as laissé. Cesse de te complaire dans la griserie des abstractions et des concepts, attarde-toi plutôt sur les détails. Tu te mens, tu t'aveugles. La réalité est trop vulgaire pour toi. Tu es pathétique !

» C'est vrai, tu as parsemé l'avenir de toutes sortes de scénarios, absorbé par tes visions. Mais t'es-tu demandé une seule fois quel usage les humains en feraient ? Non, bien sûr ! Prométhée est bon, ambassadeur du Bien, ce qu'il offre à l'homme accroît forcément son essor, et le propulse à la rencontre des dieux ! Tu oublies que pour être vraiment utile aux éphémères, il aurait fallu que tu descendes des sphères pour t'attarder parmi eux et les connaître vraiment. Seulement, on n'a jamais vu un aigle se mêler à la foule sans jeter la panique, j'en sais quelque chose. Pour recueillir leurs confidences, il t'aurait fallu de la patience, perpétuel agité, du silence, du doute. En un mot, de la sagesse. Il t'a manqué le courage de devenir colombe, pour te sentir vulnérable.

— Je n'ai que faire d'être adapté, de rechercher l'utile. Je ne crée pas en fonction d'un usage ni pour servir une attente. J'offre de l'absolu, de l'inaccessible ! Je tire les hommes vers le haut. Ils sont assez subtils pour se hisser et faire prospérer ce que je leur ai donné.

Le Maître se tait, considère longuement son élève se débattre dans les labyrinthes de la justification.

— Ton œil est acéré, lui répond-il, mais il ne voit pas tout. Tu as gravement sous-estimé les capacités de l'homme. Tu es obsédé par son esprit, mais tu négliges son cœur. Quoi d'étonnant, quand on voit l'état du tien ? Le cœur de l'homme est un chaudron où cuisent l'harmonie et la confusion, le discernement nécessaire à la paix et l'arrogance qui fomente les guerres. Le cœur est un mystère. Ceux qui en possèdent la clé travaillent à l'équilibre du monde. Mais toi, Prométhée, tu ne t'en es jamais soucié. Au cours des nuits qui t'attendent, réfléchis, deviens lucide. Tout peut encore changer.

*
* *

L'Aigle s'envole, puis, obstinément, revient. Le temps s'étire. Les millénaires s'ajoutent aux millénaires, et la leçon de l'initiateur se poursuit, décapante, méthodique : dépeçage du foie, lacération de l'esprit jusqu'à la prise de conscience. L'élève, enchaîné à sa table de vie, disséqué par le scalpel de l'émissaire de Zeus, subit la correction, livide, le corps en haillons, et continue de résister.

16

C'est moi le responsable

Peu à peu, la rigueur fait son chemin et l'enseigne-
ment produit ses fruits. La nuit, lorsque le foie de
Prométhée se reconstitue, une lueur sourd de ses
entrailles, qui réduit ses révoltes au silence. Il pense
à l'Aigle, dont les paroles le hantent. Il lui semble
s'éveiller d'un long sommeil, enfermé dans une solitude étanche à toute autre pensée que les siennes.
Il croyait y préparer l'avènement de la lumière, afin
que les hommes y installent leur royaume. Au lieu de
cela, que voit-il, lorsqu'il ouvre pour la première fois
les yeux, du haut de ses millénaires de souffrance ?
Le monde, déconcertant et amer, est balayé par la
violence. La descendance d'Épiméthée et de Pandore
a pullulé, colonisant Gaïa, emportée par un esprit

201

d'exploration avide et de jouissance. À l'*Âge d'Argent* a succédé un redoutable *Âge de Bronze*.

Les hommes se sont approprié les modèles que Prométhée leur avait laissés. Ils en ont percé les secrets, les ont développés, rivalisant de génie. Ils maîtrisent maintenant la matière, apprivoisent l'énergie. Ils ont soumis la terre avec brutalité, comme on soumet un ennemi, pillant son sous-sol, puis se lançant à l'assaut du ciel pour détrôner les dieux, ils se sont dotés d'un feu aussi destructeur que la foudre de Zeus. Vertigineuse compétition pour l'hégémonie, au terme de laquelle le vainqueur imposera à tous sa puissance.

Prométhée, atterré, constate les effets de sa propre démesure. Ses principes sont entrés dans les faits, ses rêves ont sculpté la réalité, mais l'humanité qui se révèle à lui, parée de l'impétueuse fierté de son précurseur, n'est plus animée par sa fiévreuse quête d'absolu. Il ne reconnaît plus ses créatures.

— Comment l'évolution a-t-elle pu suivre cette voie ? se désespère-t-il. Se corrompre à ce point ? La volonté de dominer a pris le pas sur l'esprit. La quête désintéressée du savoir est asservie par le rendement. Le fort cumule tous les pouvoirs, intimide, persécute, condamnant le faible à l'errance et à la misère.

Il ferme les yeux, ressasse ses projets, ses calculs, comme un vieux savant impuissant à anéantir ses recherches, désappointé qu'elles aient nourri le pire.

— Comment ont-ils pu en arriver là ?

— À cause d'un détail, lui répond un souffle à la douceur de colombe. Un simple détail que tu as toujours tenu pour quantité négligeable.

Il sursaute en reconnaissant cette voix, dont il comprend maintenant toutes les modulations.

— Tu m'as surpris, lui dit-il. Tu étais là…

— Bien sûr, je ne te quitte jamais. Nous sommes inséparables. C'est toi qui m'oublies. Mais je t'attends, je te regarde agir, je vois la peine que tu te donnes. Je me rappelle à toi, parfois, même si tu ne m'entends pas. Je ne me décourage pas. Je sais que rien n'est jamais perdu. Je me dis qu'un jour, peut-être… Et ce jour est arrivé.

Cette délicatesse, ces précautions élégantes à lui tendre un miroir de vérité…

— Mon cœur… murmure Prométhée, ému. Tu es un joyau.

Son compagnon sourit, mais n'en reste pas là.

— Je veux que tu aies un aperçu plus complet des hommes d'aujourd'hui, et que tu les voies avec mes propres yeux. Suis-moi !

— Mais, je suis enchaîné, allons…

— Ton corps, oui, mais ton cœur est libre. Viens !

Prométhée, pour la première fois, consent à s'en remettre à la sérénité qui parle en lui et se laisse entraîner. Aussitôt, abandonnant à la montagne sa carcasse de Titan, il s'élève comme malgré lui vers l'éther. C'est ainsi qu'il découvre un autre aspect de la détérioration du monde. La terre est devenue l'otage de la race de Bronze. Ses corps subtils, imprégnés par les poisons, sont enveloppés d'une gangue brunâtre et visqueuse. La Mère suffoque et dérive dans l'espace, seule, comme mise en quarantaine par les étoiles, déjà au ban de l'univers.

Chez les hommes, le dédain pour la fragilité de la vie s'affiche partout, conquérant. Le sens de l'honneur, le respect de la parole donnée sont tournés en dérision. L'arrogance se pavane dans le camp des vertus. L'insolent ridiculise l'honnête homme, ceux qui décrètent la loi se dispensent de l'appliquer, et ceux qui la servent bafouent la Justice par la partialité de leurs jugements.

— Je n'ai pas voulu cela, Zeus ! s'écrie Prométhée. Je n'ai pas voulu cela…

Seules des clameurs sauvages lui répondent, montant de la terre, où de grands incendies crachent leurs nuées noires à la face du soleil. Gaïa pleure… Son corps de majesté est violé par les sauvages et son âme dévastée !

— Mes hommes sont devenus des barbares. Je rêvais qu'ils façonnent leur destin, ils en avaient les capacités…

— C'est ce qu'ils ont fait, lui répond son compagnon, mais pas de la manière que tu croyais. Il aurait fallu que tu les guides, que tu te montres patient avec eux, en les attendant, en leur expliquant… Il aurait aussi fallu que tu sois ferme en posant quelques conditions. Mais il est difficile, pour toi, d'interdire, n'est-ce pas ?

Prométhée hésite, puis reconnaît :

— Difficile, non… Impossible.

Avec finesse, son cœur le dirige et le ramène, de façon moins abrupte, vers les enseignements de l'Aigle. Infatigablement, son cœur, dont le velours l'apaise, lui révèle ses raideurs, ses certitudes, et s'emploie à les assouplir en déroulant la paix. Humide et tendre, son cœur, dépositaire d'une connaissance qu'il a toujours rejetée…

Pourquoi Pandore se glisse-t-elle alors dans ses pensées ?

— La jarre ! s'exclame-t-il.

Il est pris de vertiges soudain. Il entend mugir la suffisance et la folie, il voit la passion dévoyée par la recherche du plaisir, et le chemin de corruption où l'humanité s'est engagée. Il comprend.

— Pandore a ouvert la jarre ! Voilà la cause des malheurs ! Épiméthée n'a pas su l'en empêcher.

Et son cœur, avec gravité, le ramène une fois de plus au pied des faits.

— Il en était incapable, Prométhée ! Il a fait ce que son caractère lui dictait, et tu ne peux pas le lui reprocher. Il n'existait qu'une autre voie, la tienne. Si tu l'avais empruntée, tu aurais transformé la vie de Pandore, et par la même occasion métamorphosé le contenu de la jarre. Ainsi, ce ne sont pas des calamités qui auraient contaminé les éphémères, mais des bienfaits.

— Et j'ai refusé de m'engager… reconnaît Prométhée, accablé. J'ai rejeté Pandore…

Cette vérité est sans appel, et il songe longuement, en observant la terre secouée par le vacarme effroyable des conflits qui la ravagent : luttes d'influence, conquêtes, guerres, compétitions d'orgueil… Des images de désastres définitifs lui traversent l'esprit. Bouleversements, noirs cataclysmes, confusion, puis le silence immobile des galaxies…

— Alors, c'est moi... C'est moi le responsable de ces malheurs, admet-il enfin. À cause de mes négligences, l'humanité est maintenant incontrôlable. Je n'ai pas su me pencher sur elle et l'aimer comme il convenait. Elle n'est qu'un arbre dans la forêt de la vie. Il faut qu'elle apprenne à voisiner avec les autres espèces, qu'elle redécouvre les valeurs de la Mère.

Son feu de révolte recommence à rougeoyer, ses visions l'assaillent, fiévreuses de nouveaux projets. Il se voit balayant ses erreurs, remettant sa création en motte, attelé à un nouveau prototype. Déjà, sa forge flambe...

— Deucalion ! hurle-t-il. Dépêche-toi ! Construis une arche et tiens-toi prêt à appareiller pour un Nouveau Monde ! Tu seras le père du prochain printemps des hommes, et Pyrrha, ton épouse, sa mère. Je vous aiderai. J'ai parcouru le chemin. Je connais ses pièges...

Ses consignes auront-elles le temps de parvenir à son fils ? En effet, il est bientôt interrompu par le mugissement grave et rauque d'un vieux souffle harassé qui déborde sa colère et s'impose. Signe avant-coureur du désastre qui guette ?...

— Tout peut encore changer... gronde l'être qui approche.

Prométhée se fige en reconnaissant l'avertissement de l'Aigle !...

— Qui parle ? se demande-t-il.

Ce n'est pas le rapace, ce n'est pas son cœur. C'est une voix rêche, familière, où perce l'énergie d'une puissance humiliée. Qui alors ?

— C'est moi, enfant terrible !

— Gaïa ! s'écrie-t-il, frissonnant d'émotion. Mère...

— Tout peut encore changer, petit, à condition que tu reviennes, poursuit-elle avec lenteur. Les hommes ont un urgent besoin de toi, mais rien n'est perdu. Il suffirait d'un noyau de consciences éveillées, d'une minorité correctement guidée et résolue pour assurer une renaissance. C'est possible, mais il faut que tu te libères de tes chaînes. Le temps presse.

— Mais je n'ai pas achevé ma peine. Je suis toujours à la merci de l'Olympe.

— Plus pour longtemps, car je t'apporte la clé de ta liberté. Écoute-moi, je détiens un secret : Zeus risque de perdre son trône. Il s'est entiché d'une Néréide, Thétis[1], qui le mène par le bout du nez.

---

1. Divinité marine, petite-fille d'Océanos, fille de Nérée (le Vieillard de la Mer) et de Doris.

Si jamais il lui cède, le fils qui naîtra de leur union congédiera son père come un vulgaire valet. Depuis qu'il a lui-même renversé Cronos, Zeus est hanté par cette crainte. Il soupçonne tous ceux qui lui résistent, tu es bien placé pour le savoir. Utilise ma confidence comme une monnaie d'échange : révélation contre libération. Mais présente-lui ton offre sans le braquer. Tu sais comme il est méfiant, toujours à rechercher la paille cachée dans le grain. Qu'il n'aille surtout pas croire que tu te livres à un chantage.

Cette proposition inattendue redonne à Prométhée l'espoir de guérir le monde du malheur. Il se tourne vers son cœur, qui se tait, puis revient à Gaïa : elle s'est déjà retirée. Il est seul, redescendu sur le Caucase, corps et âme, rivé au roc, alors que l'aube point à l'horizon et que l'Aigle s'annonce par un long sifflement qui saisit la brume endormie dans le fond des vallées.

L'oiseau arrive, porté par un lent vol battu, moins pressé que les autres jours de s'attabler. Il se pose sur la corniche du carnage, maculée de sang sec et des reliefs pourris de ses dernières dévorations, à pied d'œuvre. Devant lui, Prométhée, serein, attend la première déchirure du matin, mais le rapace, contrairement à ses habitudes, ne frappe pas. Il scrute le supplicié. La nuée d'orage qui le recouvrait s'est dissipée. Il a changé.

— Explique-moi ! lui demande son geôlier.

— Il n'y a rien à expliquer. Depuis le temps que tu me demandes de réfléchir, j'ai fini par t'obéir. Ne discute pas, allons. Fais ce que tu dois, sans retenir tes coups. Ne te retarde pas. Je mérite mon châtiment. Que nos actes soient bons ou mauvais, ils reçoivent toujours la rétribution qu'ils méritent.

Il s'offre à la correction, le visage lisse, lavé de toutes ses rancœurs. L'Aigle, qui trouve étrange cette soumission, s'apprête à se déchaîner sur le foie, décidé à débusquer quelle ruse dissimule le Titan. Mais il se ravise.

— Tu ne me dis pas tout. Quoi d'autre ? Je t'écoute.

— J'ai une information pour Zeus.

— Quel genre ? demande l'Aigle, sur la défensive.

— Crucial !

— Explique-toi.

— Il s'apprête à signer sa perte.

— Mais encore ?

Prométhée hésite.

— Je ne peux pas t'en dire davantage sans contre-partie.

— Ah, nous y voilà !

— Où ça ?

— Au marchandage, au chantage !… La panoplie de l'intimidation, comme toujours ! Parle sans condition, sinon…

— Sinon quoi ? Tu vas me faire avouer ? Par quel moyen ? La torture ? Depuis des millions de jours, tu me dresses l'inventaire de ses raffinements. Non, tu ne m'as pas compris. Je pratique tes leçons, je te parle d'échange vrai. Tu m'as appris qu'il ne fallait pas distribuer ses biens ni ses talents à tort et à travers, mais avec discernement. Donnant-donnant, dans l'équilibre.

— Et ton secret, dans un plateau de la balance, que réclame-t-il dans l'autre ?

Prométhée soutient le regard puissant de l'Aigle :

— Tu le sais !

— Ta libération ?

Prométhée approuve de la tête, et l'Aigle pèse un instant ce prix exorbitant avant de reprendre :

— J'entrevois un point de litige difficile à négocier… Tu vas réclamer des garanties, évidemment, et Zeus aussi. Donc, il faudra que l'un de vous deux fasse le premier pas. Et, franchement, je ne vois pas mon Maître te satisfaire pour une vague promesse. Alors, comment conçois-tu la tractation ?

— Tu te méprends. Je n'ai pas besoin de garanties. J'ai confiance ! Je te parle, tu portes mon message à Zeus, il décide, tu reviens. Et soit tu me libères, soit tu continues ton travail jusqu'au terme de ma peine. Cela te convient-il ? La confiance, c'est elle qui fait la différence entre chantage et échange. Elle comporte un risque ? Bien sûr. Mais je l'accepte !

L'Aigle se tait, impressionné par la mutation de son prisonnier, qui se livre sans plus attendre.

— Que Zeus se tienne à l'écart de Thétis, révèle Prométhée. Qu'il ne cède à aucun prix à ses avances, c'est l'union de tous les dangers. Elle lui donnerait un fils qui le chasserait du pouvoir !

— Comment sais-tu cela ? insiste l'Aigle. Donne-moi une preuve.

— Je le sais ! Ma source ne peut pas être mise en doute. Contente-toi de cette réponse. Pratique, toi aussi, les leçons que tu dispenses. Aie confiance !

L'Aigle n'insiste pas, et regagne aussitôt l'Olympe. Quand il revient, porteur de la réponse de Zeus, Héraclès, en chemin pour le Jardin des Hespérides, a atteint le sommet du Caucase. Son arc bandé, il attend que le bourreau soit à sa portée. Lorsque l'oiseau approche du sommet, il décoche son trait, et l'abat.

Zeus a accepté l'échange, et son serviteur achevé sa mission. Prométhée est libre.

PARTIE 4

ET TOUT RECOMMENCE

17

Les hommes ne méritent aucune indulgence !

Prométhée se tait. Son récit est achevé. Il a raconté l'évolution du monde parti de rien, introduit un levain dans la pâte de l'humanité. Le ferment sera-t-il assez puissant pour éveiller ce noyau de consciences nécessaires au changement de cap espéré par Gaïa ?

À quelques pas de lui, l'Aigle fracassé gît sur un parterre de plumes grises. Prométhée, silencieux, le considère longuement, et dans son cœur, libre de haine, la reconnaissance pour ce grand Maître commence à affleurer.

— Je t'ai donné du mal, lui dit-il. Savais-tu que tu finirais par briser ma carapace ? J'ai mis du temps à me rendre, et sans ta constance je n'aurais jamais réussi. Tu as été ma chance. Que serait-il advenu de moi si tu m'avais pris en pitié ? Je me serais accroché à cette faiblesse. Elle aurait nourri ma résistance, raidi mon arrogance comme un défi. J'aurais achevé mon châtiment exténué sans doute, mais replié sur un germe irréductible de violence, revanchard, à jamais inutile à la terre et aux hommes. Un effroyable exemple pour l'humanité que je prétends aimer. Je n'ose pas imaginer que tu aurais pu céder.

» Tu t'es consacré, jusqu'à tes dernières forces, à ton élève rétif. Tu connaissais pourtant l'issue, mais tu as poursuivi ta mission jusqu'au sacrifice. Grâce à toi, je suis à nouveau prêt à servir. Je te suis redevable, infiniment. Tout ce que j'entreprendrai dorénavant, je le ferai en ton nom, pour te remercier et t'honorer.

» Sois en paix !

À cet instant, la dépouille du rapace frémit, puis se convulse. Un nouvel Aigle apparaît soudain, s'extirpant de l'ancien. Il est blanc. Il défroisse ses ailes, les déploie et prend rapidement de l'altitude. Il tournoie, comme au premier matin, au-dessus du Caucase, siffle, puis répondant à l'appel du zénith, s'élève vers les hauteurs et part se fondre dans le soleil. Alors qu'il disparaît, une colombe vient se poser sur l'épaule du survivant. Dernier salut du Maître.

— *Le courage de devenir colombe...* se souvient Prométhée.

Zeus s'est invité au sommet de la montagne au moment où son serviteur prenait son envol. Prométhée, absorbé par ces derniers événements, n'a pas remarqué sa présence.

— Immortel, comme toi et moi ! dit l'Olympien. Sa tâche est achevée.

Prométhée reconnaît la voix.

— Ainsi, te voilà ! lui répond-il sans se retourner. Tu es descendu te faire une idée du résultat ?

— Je n'avais pas besoin de descendre pour savoir. J'étais informé. Tout au long de ces années, je n'ai cessé de t'accompagner.

— L'Aigle ?

Zeus ne répond pas. Dans le silence qui s'installe, la colombe se perche sur la tête de son nouveau compagnon et commence à lisser ses cheveux de son bec. Le vent acide du matin, qui glaçait le sommet, s'est adouci depuis l'arrivée de l'oiseau immaculé. Le soleil tiédit la vire, et Prométhée offre son corps meurtri à ce baume.

— Le ciel n'a jamais été aussi serein, remarque-t-il en faisant face à son visiteur.

Premier regard. Les anciens adversaires se retrouvent enfin et se dévisagent. Ils ont terriblement changé. On dirait deux pays sauvages passés sous la charrue des défricheurs. Élagués, éclaircis, ils sont méconnaissables. Zeus a mûri. Il affiche une confiance lavée de toute provocation. Ses guerres de conquête sont derrière lui et son pouvoir ne peut plus être contesté. Prométhée, lui, sec et couturé, s'est converti à la lenteur. Le pétillement incessant de ses yeux s'est changé en brasier économe.

Zeus, le premier, rompt le silence.

— Nous avons façonné le monde, cousin, et le monde nous a façonnés. Tournons-nous vers la paix dorénavant, et assurons l'avenir. J'ai vidé la querelle qui pourrissait mes relations avec Cronos, mon père, et j'ai obtenu son pardon. J'ai aussi rendu leur liberté aux Titans. Ne laissons plus fermenter nos aigreurs. Scellons notre réconciliation par un geste puissant. Rejoins-nous dans l'Olympe. Ta place y est acquise. Tu l'as gagnée par ton aptitude à reconnaître tes erreurs. C'est une grande lutte que tu viens de mener, un grand exemple pour l'humanité. Mais sera-t-elle jamais capable de le suivre, cette effrénée, et de vaincre avec ton endurance ?

Zeus a-t-il eu vent de la perversion des hommes ? Prométhée préfère éluder le sujet et s'empresse de saisir la main tendue par son cousin.

— Oui, je viendrai m'installer parmi vous, je t'en donne l'assurance. Mais je souhaiterais demeurer encore sur ce promontoire. Je m'y suis allégé de tout ce qui m'alourdissait, et les millénaires ont consigné le journal de ma solitude dans ces pierres. Elles en sont imprégnées. C'est pourquoi je voudrais mettre de l'ordre dans mes souvenirs, les rassembler, pour n'en oublier aucun. J'ai trop négligé celui que j'avais été, trop fait table rase du passé, trop glorifié l'instant comme s'il se renouvelait sans cesse, sans attaches, sans mémoire, flambant de me croire à la pointe de l'évolution ! Quelle puérile vanité ! J'ai été si lent à me comprendre, mais je suis maintenant guéri de cette infirmité. La souffrance, que j'ai endurée ici pour renaître, sera le terreau de ma nouvelle vie.

Zeus l'écoute sans cacher son admiration.

— J'ai plus que jamais besoin de toi, lui répond-il. Notre tâche n'est pas terminée. Prends le temps que tu juges nécessaire, mais ne t'attarde pas. Je suis inquiet. Les hommes deviennent de plus en plus brutaux et sanguinaires. Des nouvelles effrayantes me sont parvenues d'Arcadie. Les cinquante fils de

Lycaon ne reculent paraît-il devant aucune monstruo-sité. Leur père est pourtant connu pour sa piété et son respect du divin. Il a introduit la civilisation dans son royaume. Comment n'a-t-il pas su transmettre ces valeurs à ses enfants ? Comment peut-il favoriser les arts et tolérer la barbarie ? Je veux en avoir le cœur net et vérifier par moi-même que l'on n'a pas exagéré la réalité. Je n'accepterai pas de voir les équilibres, que nous avons tant bataillé à établir, mis en péril par des excès de cruauté. Si les faits qu'on m'a relatés se vérifient, je rappellerai aux hommes qu'ils sont encore loin du Ciel, crois-moi, et je leur en ferai éprouver la distance.

Prométhée songe aux lamentations de Gaïa, enten-dues depuis l'éther, où son cœur l'avait conduit. Il n'en dit mot. Zeus en a-t-il eu connaissance ? Par qui ? Il paraît déjà suffisamment outré, et il le laisse s'éloigner sans l'irriter davantage.

*
* *

Peu après son départ, Prométhée aperçoit une silhouette familière escalader la montagne dans sa direction. C'est Deucalion[1], son fils. Quand celui-ci parvient au sommet, il ne reconnaît pas son père. Il avait quitté un guerrier, il retrouve un ermite.

— C'est toi, père ? lui demande-t-il pour se convaincre. Libre, enfin ?

— Oui, c'est bien moi, après… toilette, comme tu vois. Libéré de moi-même, et guéri. Je savais que tu viendrais et je me réjouis que tu sois là.

— Ta voix n'a pas changé, répond Deucalion, ému. Pareille à celle qui m'a interpellé par-dessus les monts. J'ai entendu son urgence et je t'ai obéi. Je me suis mis au travail comme tu me l'as commandé. L'arche est construite. Je viens t'en rendre compte.

Prométhée hoche la tête, savourant la nouvelle.

— Alors, si l'arche est construite, reprend-il, parle-moi de sa coque.

— Je l'ai conçue comme un ventre, père, rond et galbé pour épouser les vagues et se laisser porter, vaste comme un silo, et spacieux, pour accueillir les ferments d'une race d'hommes nouveaux si la nécessité l'exige.

— Cette race, ton épouse et toi en serez les parents. Ainsi, le feu que j'ai transmis à votre génération, qui

---

1. *Marin du vin nouveau.*

coule dans votre sang, écarlate comme un vin enivrant, vous le transmettrez à vos enfants.

» Raconte-moi la voile, maintenant. Qui l'a tissée ?

— Pyrrha[1], qui a retenu les leçons de sa mère Pandore, laquelle avait été formée par Athéna en personne. Tous les instants de notre existence commune s'y entremêlent. C'est une image de nous-mêmes, que nous offrirons aux vents de l'Esprit. Où qu'ils nous poussent, nous nous laisserons conduire en confiance.

— Et le mât qui la porte questionne encore Prométhée, curieux.

— J'ai choisi du frêne, une belle tige, droite et franche, en hommage à l'époque où Zeus servait le feu aux hommes par ses branches. Hommage aussi à toi, père, et au feu adouci que tu as descendu de l'Olympe, en t'exposant pour tes enfants.

» Planté au centre de la barque, dressé vers le ciel, le mât brandira votre réconciliation, et la voile, en claquant, répandra la nouvelle.

» Quant au gouvernail, plaisante Deucalion, jubilant de l'intérêt que lui porte son père, puisque tu ne m'interroges pas, je ne t'en dirai rien. Mais sache que ma main sur la barre sera souple, attentive aux fureurs

---

1. *Rouge feu.*

des vagues contre le bordage, aux grandes voix de l'océan, au souffle des abysses qui monte nous flairer. La direction est tracée, je ne suis pas le pilote, je ne suis que son canal. Le gouvernail m'aidera simplement à tenir le bon cap.

— Et les nœuds, si essentiels pour un marin ? demande Prométhée en souriant. Que peux-tu me dire des nœuds ?

— J'en connais toutes les variétés, et les fonctions de chacun, à force de les fréquenter. J'ai appris à nouer et à dénouer, à ressentir les bienfaits de l'attachement, à reconnaître lorsqu'il devient contrainte. J'ai éprouvé aussi le détachement qui fait tomber nos chaînes d'esclaves et nous rend maîtres de nous-mêmes, éprouvé également cette liberté sans attache, tous liens rompus, qui brise l'unité et nous rend orphelins du monde.

» Les nœuds sont des carrefours. Je sais distinguer ceux qui favorisent la circulation de l'énergie vitale de ceux qui la paralysent. Certains unissent et rassemblent, forment des remparts contre la dispersion, d'autres enferment dans la solitude et nous livrent au néant.

Prométhée se tait, préférant confier ces derniers mots au silence de la montagne. Il hésite à poursuivre la conversation avec son fils, dont la sagesse l'étonne.

Il est pleinement rassuré sur son aptitude à accomplir sa mission. Il ne veut pas le retenir.

— Ne reste pas dans mon désert, lui dit-il. Rentre auprès de ton épouse et mettez la dernière main à vos préparatifs. Votre départ est imminent. Quand Zeus m'a quitté, juste avant ton arrivée, il descendait sur la terre, à la recherche d'un prétexte pour lancer le signal. Je crains bien qu'il ne le trouve bientôt, car les raisons de provoquer son écœurement ne manquent pas.

*
* *

Zeus, qui a pris l'apparence d'un mendiant, est déjà à pied d'œuvre devant le palais de Lycaon. Il frappe, on lui ouvre. Il réclame l'hospitalité d'une voix lamentable.

— J'ai faim… Je n'ai pas mangé depuis des jours… Par Hestia, la mère du foyer, montrez-vous charitable…

L'homme qui le reçoit le fait entrer. C'est Télébos[1], l'un des fils de Lycaon, un pervers. Il confie le

---

1. *Celui qui maltraite.*

vagabond à un domestique et part rejoindre ses frères. Un projet lui trotte dans la tête, qu'il veut leur soumettre : s'amuser aux dépends du malheureux. S'ils asticotent un pauvre, qui osera protester ? Ils sont fils de roi, riches, puissants, tout leur est permis. Ils tombent rapidement d'accord et plaisantent, en peaufinant leur mauvaise farce. Puisque le bonhomme a le ventre creux, pourquoi ne pas le remplir avec du ventre, justement ? Des entrailles de chèvre et de brebis, prévues pour le repas du jour, mitonnent aux cuisines. Ils décident d'y ajouter une autre variété d'abats pour corser le plat : des entrailles d'homme ! Oui, d'homme ! Quoi de meilleur pour un gueux ? Mais qui sacrifier pour tenir le rôle du supplément alimentaire ? Ils veulent une victime dans l'âme, un souffre-douleur qu'ils se délectent à torturer. Un faible, ou mieux, un bon ! Aussi dévoué qu'ils sont égoïstes, aussi sensible qu'ils sont grossiers, afin de lui faire payer ses qualités. Un nom s'impose d'emblée. Celui d'un être qu'ils jalousent à mort et dont la simple présence parmi eux révèle leur noirceur, Nyctimos[1], leur plus jeune frère, l'esprit même de la civilisation instaurée par leur père dans le pays. Une tête à gifles

---

1. *De la nuit.*

d'honnêteté. La victime idéale, élue à l'unanimité pour faire tomber la nuit sur le royaume ! Bonne occasion de se débarrasser de lui !

Nyctimos est confiant et doux. C'est un jeu d'enfant de l'attirer dans un traquenard, puis de lui régler son compte. Une fois leur cadet éliminé, les assassins dépècent son cadavre comme celui de n'importe quel gibier, ajoutant ses viscères aux entrailles de bêtes qui mijotent dans le chaudron.

Vient l'heure du repas. Lycaon et ses fils s'installent autour de la grande table. Le roi, qui tient à sa réputation d'accueil, a fait asseoir le mendiant à ses côtés.

— Comme d'habitude, Nyctimos n'est pas des nôtres ! remarque Télébos, grinçant. Il faut toujours qu'il se distingue, celui-là !

Ses frères approuvent et ricanent pendant qu'une cohorte de marmitons apporte le ragoût fumant. Alors que chacun commence à se servir, le mendiant se lève brutalement, jette ses haillons, d'un geste ressuscite Nyctimos et renverse la table abjecte.

— Vous êtes une insulte à la vie ! tonne-t-il. Vous ne méritez pas les trésors que je vous ai offerts !

— Zeus ! s'écrient les convives éberlués.

Les quarante-neuf assassins ont à peine le temps de s'exclamer qu'ils sont aussitôt foudroyés. Lycaon s'éclipse sans demander son reste, croyant échapper au châtiment, mais la fureur du dieu le rattrape, lui arrache son masque d'homme éduqué et révèle sa vraie nature sauvage en le métamorphosant en loup gris.

Zeus, écœuré, quitte les lieux et regagne l'Olympe. Les nouvelles, qu'on lui avait rapportées sur l'état de l'humanité, n'avaient rien d'exagéré.

— Les hommes ne méritent aucune indulgence ! déclare-t-il sèchement, une fois dans sa demeure. Tuez-les tous ! N'épargnez que le fils de Prométhée, Deucalion le marin, et Pyrrha, son épouse. Ce sont deux justes, respectueux de la vie. Ils sauront nous offrir une nouvelle lignée d'éphémères.

. . .

18

Le nouvel Âge

L'ordre est tombé, et l'univers s'organise pour l'exécuter. Le ventre du firmament s'ouvre. La plaie, sous la poussée d'un flux de ténèbres, se déchire. L'étoffe du ciel craque. Les étoiles, rejetées de part et d'autre de la béance, s'écartent devant un fleuve de nuit, qui, lentement, descend prendre position autour de la terre, comme préparant un siège, et l'isole du soleil dans un cocon d'impénétrables nuées.

Monstrueux assaillant ! La mort installe ses quartiers. Cernés, les hommes cèdent à l'épouvante, abandonnent leurs activités, pris de court, fuient dans un exode sans but, où se brassent pêle-mêle le riche et le misérable, les rois de pourpre et leurs sujets. Tous, privilégiés et dénués de tout, sont rassemblés dans la poigne de la terreur.

Les éléments se déchaînent soudain et fouettent la panique. Les digues, retenant les réserves de pluies cosmiques, cèdent simultanément sous la même pression. La terre est assaillie, violentée, détrempée, son épiderme rongé. Torrents d'eau, de grêles, de glaces arrachées au scintillement des galaxies se lancent à l'assaut des édifices humains, déconstruisent, noient, jettent à bas les rêves, giflent l'espérance et rebattent les civilisations dans un même torchis.

Le flot envahit Gaïa. Le niveau monte et submerge. Les plus rapides des fugitifs sont rattrapés et engloutis. Les mammifères et les reptiles subissent le même ravage que les éphémères, et les oiseaux, qui ne trouvent bientôt plus de cimes où se reposer, s'abattent dans la mer, exténués, et se laissent avaler. Seuls les poissons résistent. Les dauphins et les baleines, les requins, les pieuvres et les méduses visitent les forêts, les parcs et les jardins avant que Gaïa n'ajoute, à son tour, sa part de destruction. Elle se disloque, s'ébroue, hérissant ses écailles, pareille à un lézard géant. Elle se creuse, ouvre des gouffres où des continents disparaissent, libère le feu de ses volcans, mêlant leur lave à l'eau, crachant des geysers de vapeur dans un vacarme strident qui s'ajoute aux grondements.

— Où se trouve-t-elle, cette minorité d'êtres éveillés, sur laquelle je comptais m'appuyer pour rebâtir une espérance ? clame la vieille Mère, par-dessus le tumulte. Elle existe, mais si chétive et branlante, si insuffisante à me convaincre que cette race d'impétueux mérite une dernière chance !

À mort l'homme ! C'est l'unique raison d'être de notre furie. À mort tous les vivants, entraînés dans le même châtiment.

À mort, les corrupteurs et les corrompus !

À mort, les éveilleurs qui n'ont pas été assez persuasifs !

À mort, les rois, qui par calcul et intérêt, ont laissé la lèpre de la violence s'infiltrer dans les cœurs de leurs peuples !

À mort, ceux qui étaient conscients du pourrissement et qui ont cru passer inaperçus en se taisant !

À mort, les innocents et les candides qui ont détourné les yeux !

À mort, les petits, qui s'accommodent de leur faiblesse !

À mort, les nouveau-nés, déjà bouffis de l'avidité de leurs parents !

Gaïa, sans hésiter, pèse dans la dévastation de tout son poids d'ancêtre, et de la même manière que Zeus a renversé la table de l'odieux Lycaon, elle aide les immortels à renverser la table de vie où les hommes festoyaient, donnant à ceux qui l'ont dégradée une correction sans appel.

Pendant ce temps, à l'abri du désastre, Deucalion et Pyrrha naviguent à la surface des eaux déchaînées. L'arche est protégée par une coque invisible qui lui ouvre une voie dans la furie.

Après neuf grands jours et neuf grandes nuits de submersion, plus aucune trace de l'homme et de ses œuvres ne demeure. Pas un vestige. Même les souvenirs ont été refondus et pétris.

Sous le niveau du vaste océan qui recouvre la terre repose un hérissement de montagnes décapées, de forêts pourrissantes, d'animaux et d'hommes dont les chairs ont été liquéfiées.

Alors commence un lent reflux, et le silence de ce nouveau matin est à peine troublé par le glissement de l'embarcation sur l'onde. Des sommets, çà et là, commencent à émerger de la surface. À mesure que le retrait des eaux s'accélère, des rivages se dessinent, des vallées se creusent, où les rivières s'empressent de regagner leur lit. L'eau ruisselle partout, le soleil réchauffe les sols qui respirent, libérant des exhalaisons de brume. Mais, hormis les vapeurs qui s'élèvent, rien ne frémit dans ce désert de boue, rien ne sourit. Le vent tombe, la voile fasèye[1]. L'arche poursuit encore sur son erre, puis la quille écorche une rive, l'embarcation s'immobilise, s'incline doucement sur le flanc, et la navigation s'achève. Ils sont au pied d'une montagne, le Parnasse.

Étourdi, Deucalion se lève, assure son équilibre, puis aide Pyrrha, qui s'enlace à lui comme un chèvrefeuille à un noisetier. Debout, rescapés du désastre, choisis par les dieux, ils sont deux survivants pour redonner essor à l'humanité ! Une œuvre démesurée les attend. Ils frissonnent, indécis l'un et l'autre, contemplant la vaste terre.

— Un pas, il suffit d'un pas, et les autres suivront ! déclare Deucalion, pour apprivoiser la tâche.

Il enjambe le bastingage, recueille Pyrrha qui se penche vers lui et la dépose sur le sol.

— Nous ne sommes pas seuls ! répond-elle, en retrouvant la terre ferme. Zeus ne nous a pas épargnés pour nous voir échouer.

---

1. Se dit d'une voile qui bat, lorsque le vent est tombé.

235

Apercevant la rivière qui s'écoule au pied du versant, Deucalion pense à Prométhée.

— Mon père a façonné les premiers hommes avec la terre graveleuse de la rivière Panopée, dit-il. Est-ce pour cette raison que nous avons accosté à proximité d'une autre rivière, le Céphise[1] ? Pour que je suive ses traces, et place les hommes au milieu d'un jardin ?

— À quoi servirait d'avoir tout remélangé s'il faut pétrir la jeune pâte avec de la vieille farine ? objecte Pyrrha. Tu as mieux à faire que d'imiter ton père. Créons ensemble notre modèle d'humains. Prométhée était seul. Nous sommes deux, armés pour réussir. Nous avons l'eau et le feu. Toi, flamboyant de naissance et coulant par ton nom. Et moi, fluide par nature, je sais démêler les nœuds et favoriser les mélanges, alors que le sang de mon cœur brûle.

Deucalion l'écoute. Sa fougue le convainc, et la douceur de sa voix dissipe tous ses doutes. Il la contemple, la prend, la serre, l'embrasse.

La terre se ressuie déjà sous l'effet du soleil. Les gazons commencent à germer, de hautes tiges crèvent le sol et se tendent vers la lumière. Sur le haut de la berge, les époux remarquent un oratoire couvert de

_____

1. *Rivière de jardins.*

vase et délabré, mais dressé, comme s'il leur envoyait un signe. Ils s'y rendent et constatent qu'il est dédié à Thémis, la Titanide, maîtresse de la Loi.

— En dépit de l'effondrement du monde, les codes et les règles demeurent, observe Deucalion. Disponibles pour guider les êtres encore dans le sommeil de la jachère.

— Grande Reine, s'émeut Pyrrha, merci de te poster sur notre passage. Ta présence nous réconforte. Accompagne-nous dans notre besogne et indique-nous comment relancer l'humanité. Sans toi, nous sommes des égarés. Rends-nous sensibles à ta voix, afin que l'on perçoive tes conseils, et rends-nous aptes à les comprendre.

Pyrrha n'a pas achevé sa prière que la déesse leur apparaît au sein d'un rayonnement qui les empêche de distinguer ses traits.

— Détachez les ceintures de vos vêtements afin que vos ventres respirent, leur dit-elle, et couvrez-vous la tête. Puis jetez les os de votre Mère derrière vous, sans vous retourner. Marchez ainsi, sillonnez la terre infatigablement. Vous allez devenir les artisans d'un grand mystère, et il importe que vous en restiez séparés par le voile que vous portez.

— Notre Mère ! Comment faire ? s'exclame Pyrrha, désemparée, prenant son époux à témoin.

Mais Thémis a déjà disparu.

— Ne t'inquiète pas, la rassure Deucalion. S'il s'agit de notre Mère, nous n'en avons qu'une, c'est Gaïa, et ses os…

— … Ce sont les pierres, évidemment, poursuit Pyrrha. Je suis sotte d'avoir cédé à la panique.

Ils s'empressent alors d'obéir. Ils se libèrent de leur ceinture, se voilent la tête et, chacun ramassant une pierre, la jettent par-dessus leur épaule, à l'attaque de leur long chemin.

Le sol vibre, et le caillou, au contact de la terre, entame une singulière métamorphose. Il perd sa dureté, devient malléable, s'étire, prend la forme d'une silhouette, comme une figure qui apparaît au jour sous le ciseau du sculpteur. Puis un corps se dessine, s'extirpe enfin de l'ébauche, s'anime et respire. Il est nu, vivant, et se dresse sur ses jambes.

Dans la trace de Deucalion, c'est un homme qui accomplit maintenant ses premiers pas. Dans celle de Pyrrha, une femme. Ils se laissent attirer l'un par l'autre, se touchent, se reconnaissent. Une ancienne mémoire roule dans leurs vaisseaux. Enfants de l'Arche, devenus à leur tour arches en partance.

Les parents entendent le bruissement de leur rencontre, la fête des voix qui prennent la terre à témoin de leur naissance, mais ils résistent à la tentation de se retourner pour s'émerveiller des premiers ébats de leur progéniture. Ils poursuivent leur mission, ramassent deux autres pierres, les jettent, puis deux autres, deux autres encore, et s'éloignent vers l'horizon, ensemençant les plaines et les vallées, les monts et les rivages, de créatures qui s'assemblent, ventre à ventre, préparant l'humanité future.

« *Tu seras le père du prochain printemps des hommes, et Pyrrha, ton épouse, sa mère.* »

Les paroles de Prométhée, lorsqu'il était enchaîné sur le Caucase, leur reviennent. Sa prophétie s'est réalisée. Marche-t-il à leurs côtés ?

À mesure qu'ils avancent, Gaïa renaît, et, ses plaies refermées, s'installe sur le seuil des millénaires à venir, pour accueillir ses nouveaux habitants.

ÉPILOGUE

De Fer ! C'est ainsi que l'on baptisa l'Âge qui suivit le Déluge de Deucalion. Investi par les géniaux descendants de Prométhée et d'Épiméthée, il vit se développer les tentatives les plus audacieuses. Aucun obstacle ne résistait plus aux hommes. Ils avançaient vers l'inconnu, repoussant limite après limite, moissonnant des merveilles, portés par une créativité fulgurante. Les prométhéens définissaient les caps et défrichaient. Les épiméthéens assuraient les arrières, transformant les joyaux rapportés de la nuit par les porteurs de lumière.

Mais les cœurs, délaissés, ne suivirent pas la même évolution. Ils devinrent des proies faciles pour les pulsions d'orgueil, de pouvoir, d'hégémonie. Le développement d'un nouvel esclavage suivit comme son ombre l'essor des libertés. Les querelles se changèrent en conflits, en guerres. L'intelligence s'allia à la cruauté, et de grandes pandémies de violence dévastèrent la planète, multipliant les génocides, amplifiant les ravages anciens.

Gaïa, redevenue souffre-douleur, continuait d'espérer dans son martyre, clamant inlassablement l'appel à se libérer de ses chaînes qu'elle avait lancé à Prométhée : « *Il ne suffirait que d'un noyau de consciences éveillées, d'une minorité correctement guidée et résolue, pour assurer une renaissance.* » Des volontés se mobilisaient, de plus en plus nombreuses, mais toujours insuffisantes à équilibrer la fascination du chaos.

Les disciples s'étaient détachés de leur maître, et Prométhée avait perdu toute influence.

Alors, patiemment, un nouveau Déluge se prépara. Aux dernières nouvelles, il n'a pas encore frappé.

TABLE DES CHAPITRES

ÉLÉMENTS DE BIBLIOGRAPHIE

APOLLODORE : *La Bibliothèque d'Apollodore*, traduction de Jean-Claude CARRIÈRE et Bertrand MASSONIE, Les Belles Lettres, 1991.

BIGÉ, Luc : *Prométhée, le mythe de l'homme*, Les éditions de Janus, 2013.

CHEVALIER, Jean, GHEERBRANT, Alain : *Dictionnaire des symboles*, Robert Laffont, 1991.

COMMELIN : *Mythologie grecque et romaine*, Pocket, 1994, 2000.

EMMANUEL, René :
La Mythologie de la Grèce antique, vue et expliquée par les écoles des Mystères, Dervy 1992.
Réconciliation avec la vie, Dervy, 1976.

GRIMAL, Pierre :
Dictionnaire de la mythologie grecque et romaine, Puf, 1951.

La Mythologie grecque, Puf, 1953.

GRAVES, Robert : *Les Mythes grecs*, Hachette, Livre de Poche, 2013.

HÉSIODE : *La Théogonie*, suivie de *Les Travaux et les jours*, traduction de Claude TERREAUX, Arléa 1995.

Néandertal, l'Européen : sous la direction de Stéphane PIRSON et Michel TOUSSAINT, SPW, Namur, 2011.

OVIDE, *Les Métamorphoses*, édition de Jean-Pierre NÉRAUDEAU, Gallimard Folio, 2015.

REEVES, Hubert, *Poussières d'étoiles*, Le Seuil Points 1984.

SÉCHAN, Louis : *Prométhée*, Puf, 1951.

SCIENCES ET VIE : *Extra-terrestres, la science y croit !* numéro hors série, Juillet 2016.

THIBAUD, Robert-Jacques : *Dictionnaire de Mythologie et de Symbolique grecque*, Dervy 1996.

VERNANT, Jean-Pierre : *L'univers, les dieux, les hommes*, Le Seuil, 1999.

Vous avez aimé

Prométhée – Le Dernier Titan ?

Découvrez un extrait d'un autre roman
de **Jacques Cassabois** :

L'épopée d'Héraclès
– Le héros sans limites

2

Petit héros
deviendra grand

Depuis la nuit où il avait ralenti l'horloge de l'Univers, Zeus n'avait rien laissé filtrer de son projet. Mais neuf mois après, quand la grossesse d'Alcmène arriva à terme, il fut incapable de tenir sa langue plus longtemps et s'empressa de claironner la bonne nouvelle dans l'Olympe.

— Le prochain descendant de Persée qui verra le jour régnera sur Tirynthe ! annonça-t-il. Il marquera le monde de son empreinte et tous devront lui obéir. Je vous en fais le pari !

Son air de mystère, sa façon de se rengorger en observant les réactions, tout indiquait que c'était lui le père, et, avant que quiconque ne s'inquiète de la réaction d'Héra, celle-ci lui répondit du tac au tac :

— Pari tenu !

Cela jeta un froid sur la haute Assemblée, mais Héra la quittait déjà. Elle avait mieux à faire que de donner aux dieux présents le spectacle d'une nouvelle bisbille avec son mari. Elle fulminait.

— Quel vaniteux ! Il ne peut pas s'empêcher de se pavaner ! grondait-elle en s'éloignant. Il nous promet un champion et on devrait l'applaudir avant de savoir ce qu'il a dans le ventre ? Non mais... Ce n'est pas d'enfants gâtés que l'humanité a besoin, mais de lutteurs, d'hommes de peine ! Qu'il se mette à l'œuvre d'abord, ce surdoué, et s'il mérite notre estime, on la lui accordera ! La vie d'un héros n'est pas une sinécure !

Elle devait absolument ramener son époux à la réalité. Elle avait une idée, et elle se hâtait pour la mettre à exécution, car tout se jouerait à la naissance, comme souvent. Ce pari, elle le gagnerait !

« Quel projet a-t-elle en tête ? se demanda Zeus en la voyant filer telle une comète. Je n'aime pas quand elle se tait. Je préfère l'entendre hurler. Je sais la calmer. Alors que là... »

Ceux qui avaient assisté à cette passe d'armes s'interrogeaient également, et nul ne doutait qu'un mauvais coup se préparait.

L'enfant qui s'annonçait à Thèbes était bien un descendant de Persée (son arrière-petit-fils précisément) par sa mère, Alcmène, et par son père terrestre, Amphitryon.

Persée étant lui-même fils de Zeus et de la mortelle Danaé, le bébé d'Alcmène jouissait donc d'une double hérédité olympienne, puisque son père céleste était aussi son trisaïeul. De quoi faire de lui un être vraiment exceptionnel.

Tout à sa griserie de papa d'un futur prodige, Zeus oubliait simplement que Persée avait eu six enfants : cinq gars et une fille, qui, à leur tour, avaient fait des petits. L'un de ses fils, Sthénélos, s'y était mis sur le tard, au point que son épouse, Nicippé, était enceinte en même temps que sa nièce Alcmène, mais de sept mois seulement.

Seulement deux mois d'écart ! Héra y avait vu l'occasion parfaite d'élaborer un plan démoniaque : hâter la délivrance de Nicippé et retarder celle d'Alcmène. Ainsi, comme l'avait annoncé Zeus, le prochain descendant de Persée régnerait bien sur Tirynthe, mais pas celui qu'il avait prévu !

Héra avait ordonné aux Pharmakides, des divinités jeteuses de sort, de se poster devant la chambre d'Alcmène pour y déployer leur magie. Assises, jambes croisées, le mollet droit bien calé sur le genou gauche pour nouer le sortilège, elles se relayèrent sept jours et sept nuits dans cette position, interrompant les contractions de la mère et lui infligeant des douleurs si insupportables qu'elle faillit en mourir. Elle ne dut la vie sauve qu'à la présence d'esprit d'une servante, plus futée que les enchanteresses, qui répandit le bruit que l'enfant était né :

— Un beau bébé, si vous saviez ! criait-elle à tue-tête en courant dans le palais pour que tous l'entendent. Un garçon ! Venez lui faire la fête !

Les sorcières s'y laissèrent prendre. Croyant leur mission achevée, elles décroisèrent les jambes et quittèrent leur poste. Alcmène fut aussitôt libérée. L'accouchement reprit et l'enfant débaula dans la vie, pressé de se montrer. Il était magnifique. Souple, charpenté, charnu, et d'une taille mirobolante qui faisait se demander comment le ventre d'une femme avait pu l'abriter. Des bras puissants, un port de tête altier, et des yeux grands où perçait un regard de feu.

Alcmène et Amphitryon le baptisèrent Alcée, le *Fort*.

C'était le quatrième jour après l'équinoxe de printemps. Un jour trop tard hélas pour que Zeus gagnât son pari, car à Tirynthe, la veille, Nicippé avait donné naissance à un garçon : Eurysthée – *Celui qui repousse au loin les limites*. C'est lui qui régnerait sur la ville et particulièrement sur son cousin Alcée.

Mais l'accouchement d'Alcmène n'était pas terminé. Un autre petit nichait encore en elle et sortit, à une nuit du premier, pour respirer à l'air libre. Plus chétif que son jumeau, il avait déjà appris à lui laisser la place. Ses parents l'appelèrent Iphiclès.

— Celui-ci est mon fils ! reconnut Amphitryon en le voyant. Puisqu'il a été porté par la même mère, il dormira dans le même berceau que son frère.

Il alla chercher le bouclier du roi des Taphiens qu'il avait conservé comme trophée et y coucha les deux enfants sur une peau de mouton.

Au même instant, Zeus, le père biologique d'Alcée, qui venait d'apprendre la nouvelle, ne décolérait pas. Héra s'était jouée de lui et triomphait. Que faire ? Reconnaître sa défaite, forcément, et... négocier.

— D'accord, tu as gagné ! admit-il. Mon fils obéira à Eurysthée, qui lui dictera son programme de travail. Je ne discute pas. Mais quand il l'aura accompli, accepte au moins qu'il soit récompensé. Il aura bien mérité l'immortalité, non ?

Cela lui coûtait de quémander cette faveur, mais l'essentiel de son projet serait ainsi sauvegardé : un homme serait parvenu à se hisser au niveau des dieux, et cet exploit ferait trembler l'humanité. La perspective d'un tel résultat avait de quoi adoucir sa blessure d'amour-propre.

Héra prit son temps pour lui répondre.

— D'accord ! dit-elle. Il sera immortel et sa place est d'ores et déjà réservée... à condition qu'il monte l'occuper ! Pour cela, il devra accomplir tout ce qu'on exigera de lui. Et ne te méprends pas, il ne jouira d'aucun privilège, d'aucune facilité. Qu'il soit ton fils lui donnera beaucoup de devoirs et peu de droits ! Crois-moi, il va en voir de toutes les couleurs, ton futur arc-en-ciel, et je veillerai personnellement à ce qu'il ne s'écarte jamais de sa voie.

— Je sais que je peux compter sur toi, approuva Zeus, avec ironie. Marché conclu !

Lui aussi veillerait au bon déroulement du parcours et ne se priverait pas de donner à son protégé tous les coups de pouce qu'il jugerait nécessaires.

Édité par la Librairie Générale Française – LPJ
(58 rue Jean Bleuzen, 92170 Vanves)

Composition Nord Compo
Achevé d'imprimer en Espagne par CPI
Dépôt légal 1re publication août 2017
61.3784.5 / 01 – ISBN : 978-2-01-702779-9
Loi n° 49-956 du 16 juillet 1949 sur les publications destinées à la jeunesse
Dépôt légal : août 2017